全国船舶工业职业教育教学指导委员会推荐教材

船舶修造安全技术与管理

主　编　陈俊发

U0284549

哈尔滨工程大学出版社

Harbin Engineering University Press

内容简介

本书介绍了船舶修造安全生产的基本概念、事故特点和基本急救知识,叙述了企业安全生产责任、文化等,着重论述了安全作业技术与管理。全书共分为5章,内容包括基础知识、船舶修造安全作业技术、船舶修造安全管理、事故应急管理与处置、事故案例,每章均配有安全培训PPT及问题思考。

本书可作为高职院校相关专业教材,适用于船舶修造企业安全管理与培训,也可供政府、行业等相关工作人员参考。

图书在版编目(CIP)数据

船舶修造安全技术与管理/陈俊发主编.—哈尔滨:
哈尔滨工程大学出版社,2023.5
ISBN 978-7-5661-3978-8

Ⅰ.①船…　Ⅱ.①陈…　Ⅲ.①船舶修理-安全技术
②造船-安全技术　Ⅳ.①U673.4

中国版本图书馆 CIP 数据核字(2023)第 105183 号

船舶修造安全技术与管理
CHUANBO XIUZAO ANQUAN JISHU YU GUANLI

选题策划	雷　霞
责任编辑	唐欢欢
封面设计	李海波

出版发行	哈尔滨工程大学出版社
社　　址	哈尔滨市南岗区南通大街 145 号
邮政编码	150001
发行电话	0451-82519328
传　　真	0451-82519699
经　　销	新华书店
印　　刷	哈尔滨午阳印刷有限公司
开　　本	787 mm×1 092 mm　1/16
印　　张	8.75
字　　数	229 千字
版　　次	2023 年 5 月第 1 版
印　　次	2023 年 5 月第 1 次印刷
定　　价	30.00 元

http://www.hrbeupress.com
E-mail:heupress@ hrbeu.edu.cn

前　　言

安全是企业发展的保证,是家庭幸福的基石,是社会和谐的源泉。安全生产关系人民群众的生命财产安全,关系企业的生存与发展,关系改革发展和社会稳定大局。搞好安全生产工作,切实保障人民群众的生命财产安全,是新时代新发展理念的必然要求,是企业应尽的社会责任,也是企业追求利益最大化、实现物质利益和社会效益的最佳途经。

船舶修造是技术、资金、劳动力密集的产业,其生产周期长、工艺要求高、工序复杂、工种繁多、机械化程度低、作业环境差、劳动强度高、危险性大,是公认的高危行业之一。随着生产技术、安全意识和管理水平的不断提高,通过从上到下的共同努力,船舶修造安全工作取得了长足的进步,但生产安全事故仍时有发生,安全管理任重而道远,是一项需要常抓不懈的工作。

本书介绍了船舶修造安全生产的基本概念、事故特点和基本急救知识,叙述了企业安全生产责任、文化等,着重论述了安全作业技术与管理。全书共分为5章,内容包括基础知识、船舶修造安全作业技术、船舶修造安全管理、事故应急管理与处置、事故案例,每章均配有安全培训PPT及问题思考。

本书可作为高职院校相关专业教材,适用于船舶修造企业安全管理与培训,也可供政府、行业等相关工作人员参考。

本书在编写过程中查阅了大量的书籍和文献资料,参考了几家大型船舶修造企业的安全操作规程、作业指导书、安全管理规定和安全培训资料,考察了上述企业安全生产实操实践的方方面面,书中照片由吴汉强提供,在此一并表示衷心的感谢!

由于编者水平有限,加之参考资料有限,书中难免出现疏漏与错误,敬请读者批评指正。

编　者

2023 年 3 日

目 录

第一章 基础知识

第一节 基本概念

一、安全生产

(一)安全生产的含义

安全生产是指采取一系列措施使生产过程在符合规定的物质条件和工作秩序下进行的,能够有效消除或控制危险和有害因素,保证无人身伤亡和财产损失等生产事故发生,从而保障人员安全与健康、设备和设施免受损坏、环境免遭破坏,使生产经营活动得以顺利进行的一种状态。

(二)安全生产的基本目标和任务

《中华人民共和国安全生产法》第一条,开宗明义地确立了通过加强安全生产监督管理,防止和减少生产安全事故(以下简称事故),实现如下基本的三大目标,即保障人民生命安全,保护国家财产安全,促进社会经济发展。由此确立了安全(生产)所具有的保护生命安全的意义、保障财产安全的价值和促进经济发展的生产力功能。

二、安全事故

(一)安全事故的定义

安全事故是指生产经营单位在生产经营活动(包括与生产经营有关的活动)中突然发生的,伤害人身安全和健康,或者损坏设备设施,或者造成经济损失的,导致原生产经营活动(包括与生产经营活动有关的活动)暂时中止或永远终止的意外事件。

(二)安全事故等级

《生产安全事故报告和调查处理条例》第三条,根据生产安全事故造成的人员伤亡或者直接经济损失,将事故分为以下等级:

(1)特别重大事故,是指造成30人以上死亡,或者100人以上重伤,或者1亿元以上直接经济损失的事故;

(2)重大事故,是指造成10人以上30人以下死亡,或者50人以上100人以下重伤,或者5 000万元以上1亿元以下直接经济损失的事故;

(3)较大事故,是指造成3人以上10人以下死亡,或者10人以上50人以下重伤,或者1 000万元以上5 000万元以下直接经济损失的事故;

(4)一般事故,是指造成 3 人以下死亡,或者 10 人以下重伤,或者 1 000 万元以下直接经济损失的事故。

本条所称的"以上"包括本数,所称的"以下"不包括本数。

三、事故隐患

(一)事故隐患的定义

事故隐患是指作业场所、设备及设施的不安全状态,人的不安全行为和管理上的缺陷,是引发事故的直接原因。重大事故隐患是指可能导致重大人身伤亡或者重大经济损失的事故隐患,加强对重大事故隐患的控制管理,对于预防重、特大安全事故有重要的意义。

(二)事故隐患等级

事故隐患危险等级一般分为五级:一级,不能继续作业,必须停产整改;二级,高度危险,必须立即整改;三级,显著危险,要限期整改;四级,可能危险,需要整改;五级,危险性不确定,需要注意监视。

四、危险

(一)危险的定义

危险是指可能造成人员伤害、职业病、财产损失、作业环境破坏的根源或状态。危险因素是指能对人造成伤亡,对物造成突发性损坏,或影响人的身体健康导致疾病,对物造成慢性损坏的因素。

(二)危险的分类

1. 按导致事故和职业危害的直接原因分类

根据《生产过程危险和危害因素分类与代码》(GB/T 13861—2009)的规定,将生产过程中的危险因素与危害因素分为人的因素、物的因素、环境因素、管理因素等 4 类。

2. 参照事故类别和职业病类别分类

参照《企业职工伤亡事故分类》(GB 6441—86),综合考虑起因物、引起事故的先发诱导性原因、致害物、伤害方式等,将危险因素分为火灾、化学性爆炸、物理性爆炸、倾覆、高处坠落、中毒窒息、车辆伤害、职业病、触电、物体打击、机械伤害、起重伤害、淹溺、灼烫、坍塌、其他伤害等 16 类。

五、安全管理

(一)安全管理的定义

安全管理是为实现安全生产而组织和使用人力、物力和财力等各种物质资源的过程。它利用计划、组织、指挥、协调、控制等管理职能,控制来自自然界的、机械的、物质的不安全因素及人的不安全行为,避免发生伤亡事故,保障职工的生命安全和健康,保证生产的顺利进行。

（二）安全管理的意义与作用

安全工作的根本目的是保护广大劳动者和设备的安全，防止伤亡事故和设备事故的危害，保护财产不受损失，保证生产和建设的正常进行。为了实现这一目的，需要开展三方面的工作，即安全管理、安全技术和劳动卫生。而这三者中，安全管理又起着决定性的作用，其意义是重大的。

1. 搞好安全管理是防止伤亡事故和职业危害的根本对策

任何事故的发生不外乎四个方面的原因，即人的不安全行为、物的不安全状态、环境的不安全条件和安全管理的缺陷。而人、物和环境方面出现问题的原因常常是安全管理出现失误或存在缺陷，可以说安全管理缺陷是事故发生的根本原因。生产中的伤亡事故统计分析也表明，80%以上的伤亡事故与安全管理缺陷密切相关。因此，要从根本上防止事故，必须从加强安全管理做起，不断改进安全管理技术，提高安全管理水平。

2. 搞好安全管理是贯彻落实"安全第一、预防为主、综合治理"方针的基本保证

为了贯彻落实这一方针，一方面需要各级领导有高度的安全责任感和自觉性，千方百计实施防止事故和职业危害的对策；另一方面需要广大职工提高安全意识，自觉遵守各项安全生产的规章制度，不断增强自我防护意识。所有这些都要基于良好的安全管理工作，需要建立健全安全管理体系，加强监督监察、考核激励和安全宣传教育，综合运用各种管理手段，才能够调动起各级领导和广大职工的安全生产积极性，才能使安全生产方针得以真正贯彻执行。

3. 安全技术和劳动卫生措施要靠有效的安全管理，才能发挥应有的作用

安全技术和劳动卫生措施对于从根本上改善劳动条件，实现安全生产具有巨大作用。而这些硬技术的发挥有赖于软科学的保证，需要人们计划、组织、督促、检查，进行有效的安全管理活动才能发挥它们应有的作用。

4. 搞好安全管理，有助于改进企业管理，全面推动企业各方面工作的进步，促进经济效益的提高

安全管理是企业管理的重要组成部分，与企业的其他管理密切联系、互相影响、互相促进。为了防止伤亡事故和职业危害，必须从人、物、环境以及它们的合理匹配这几方面采取对策，包括人员素质的提高，作业环境的整治和改善，设备与设施的检查、维修、改造和更新，劳动组织的科学化以及作业方法的改善等。为了实现这些方面的对策，势必加强对生产、技术、设备、人事等的管理，进而对企业各方面工作提出越来越高的要求，从而推动企业管理的改善和工作的全面进步。

（三）安全管理的基本要素

安全管理四要素是教育、责任、落实、安全。重点做好以下关键工作：

（1）教育：建立完善宣传教育体系，普及安全知识，提高安全素质和安全技能。

（2）责任：建立完善安全责任制和考核体系，坚持重奖重罚。

（3）落实：构建有力、有效的责任落实机制，就是要对安全生产工作进行一系列重要部署决策，各项工作及相应的责任顺利实现传导，确保层层到位。

（4）安全：建立完善安全检查和评估体系，提高本质安全。

第二节　企业安全生产责任

一、企业安全生产主体责任

企业安全生产主体责任,是指企业依照法律、法规规定,应当履行的安全生产法定职责和义务。为此,企业要牢固树立安全发展理念,压紧压实安全生产责任,在管理生产的同时必须负责管理安全工作,认真贯彻执行国家有关安全生产的法规,在计划、布置、检查、总结、评比生产的同时,要计划、布置、检查、总结、评比安全工作("五同时"),深入排查安全风险隐患,扎实推进问题整改,从根本上消除事故隐患,提高本质安全。

(一)企业安全生产主体责任的内涵

企业是生产经营活动的主体,是安全生产工作责任的直接承担主体。企业承担安全生产主体责任是指企业在生产经营活动全过程中必须在以下方面履行义务,承担责任,接受未尽责的追究。

(1)依法建立安全生产管理机构。

(2)建立健全安全生产责任制和各项管理制度。

(3)持续具备法律、法规、规章、国家标准和行业标准规定的安全生产条件。

(4)确保资金投入满足安全生产条件需要。

(5)依法组织从业人员参加安全生产教育和培训。

(6)如实告知从业人员作业场所和工作岗位存在的危险、危害因素、防范措施和事故应急措施,教育职工自觉承担安全生产义务。

(7)为从业人员提供符合国家标准或行业标准的劳动防护用品,并监督教育从业人员按照规定佩戴使用。

(8)对重大危险源实施有效的检测、监控。

(9)预防和减少作业场所职业危害。

(10)安全设施、设备(包括特种设备)符合安全管理的有关要求,按规定定期检测检验。

(11)依法制定事故应急救援预案,落实操作岗位应急措施。

(12)及时发现、治理和消除本单位事故隐患。

(13)积极采取先进的安全生产技术、设备和工艺,提高安全生产科技保障水平;确保所使用的工艺装备及相关劳动工具符合安全生产要求。

(14)保证新建、改建、扩建工程项目(以下简称建设项目)依法实施安全设施"三同时"。

(15)统一协调管理承包、承租单位安全生产工作。

(16)依法参加工伤社会保险,为从业人员缴纳保险费。

(17)按要求上报事故,做好事故抢险救援,妥善处理对事故伤亡人员依法赔偿等事故善后工作。

(18)法律、法规规定的其他安全生产责任。

（二）企业安全生产主体责任的主要内容

（1）物质保障责任：包括具备安全生产条件；依法履行建设项目安全设施"三同时"的规定；依法为从业人员提供劳动防护用品，并监督、教育其正确佩戴和使用。

（2）资金投入责任：包括按规定提取和使用安全生产费用，确保资金投入满足安全生产条件需要；按规定存储安全生产风险抵押金；依法为从业人员缴纳工伤保险费；保证安全生产教育培训的资金。

（3）机构设置和人员配备责任：包括依法设置安全生产管理机构，配备安全生产管理人员；按规定委托和聘用注册安全工程师或者有资质的安全服务机构为其提供安全管理服务。

（4）规章制度制定责任：包括建立健全安全生产责任制和各项规章制度、操作规程。

（5）教育培训责任：包括依法组织从业人员参加安全生产教育培训，取得相关上岗资格证书。

（6）安全管理责任：包括依法加强安全生产管理；定期组织开展安全检查；依法取得安全生产许可；依法对重大危险源实施监控；及时消除事故隐患；开展安全生产宣传教育；统一协调管理承包、承租单位的安全生产工作。

（7）事故报告和应急救援的责任：包括按规定报告生产安全事故；及时开展事故抢险救援；妥善处理事故善后工作。

（8）法律、法规、规章规定的其他安全生产责任。

（三）强化企业安全生产主体责任的意义

企业是社会经济活动中的建设者和受益者，是安全生产中不容置疑的责任主体，在社会生产中负有不可推卸的社会责任。企业必须认识到安全生产是坚持新发展理念的内在要求，也是企业生存与发展的必然选择。增强安全生产主体责任，实现安全生产，是企业追求利益最大化的最终目的，是实现物质利益和社会效益的最佳途径。

二、企业安全生产的法律责任

（一）企业安全生产法律责任的形式

追究安全生产违法行为法律责任的形式有民事责任、行政责任和刑事责任三种。

（二）企业的安全生产违法行为

《中华人民共和国安全生产法》规定追究法律责任的生产经营单位的安全生产违法行为，有下列 27 种：

（1）生产经营单位的决策机构、主要负责人、个人经营的投资人不依照本法规定保证安全生产所必需的资金投入，致使生产经营单位不具备安全生产条件的。

（2）生产经营单位的主要负责人未履行本法规定的安全生产管理职责的。

（3）生产经营单位未按照规定设立安全生产管理机构或者配备安全生产管理人员的。

（4）危险物品的生产、经营、储存单位以及矿山、建筑施工单位的主要负责人和安全生产管理人员未按照规定经考核合格的。

（5）生产经营单位未按照规定对从业人员进行安全生产教育和培训，或者未按规定如实告知从业人员有关的安全生产事项的。

（6）特种作业人员未按照规定经专门的安全作业培训并取得特种作业操作资格证书，上岗作业的。

（7）生产经营单位的矿山建设项目或者用于生产、储存危险物品的建设项目没有安全设施设计或者设施设计未按规定报经有关部门审查同意的。

（8）矿山建设项目或者用于生产、储存危险物品的建设项目的施工单位未按照批准的安全设施设计施工的。

（9）矿山建设项目或者用于生产、储存危险物品的建设项目竣工投入生产或者使用前，安全设施未经检验合格的。

（10）生产经营单位未在有较大危险因素的生产经营场所和有关设施、设备上设置明显的安全警示标志的。

（11）安全设备的安装、使用、检测、改造和报废不符合国家标准或者行业标准的。

（12）未对安全设备进行经常性维护、保养和定期检测的。

（13）未为从业人员提供符合国家标准或者行业标准的劳动防护用品的。

（14）特种设备以及危险物品的窗口、运输工具未经取得专业资质的机构检测、检验合格，未取得安全使用证或者安全标志，投入使用的。

（15）使用国家明令淘汰、禁止使用的危及生产安全的工艺、设备的。

（16）未经依法批准，擅自生产、经营、储存危险物品的。

（17）生产经营单位生产、经营、储存、使用危险物品，未建立专门的安全管理制度、未采取可靠的安全措施或者不接受有关主管部门依法实施的监督管理的。

（18）对重大危险源未登记建档，或者未进行评估、监控，或者未制定应急预案的。

（19）进行爆破、吊装等危险作业，未安排专门管理人员进行现场安全管理的。

（20）生产经营单位将生产经营项目、场所、设备发包或者出租给不具备安全生产条件或者相应资质的单位或个人的。

（21）生产经营单位未与承包单位、承租单位签订专门的安全生产管理协议或者未在承包合同、租赁合同中明确各自的安全生产管理职责，或者未对承包单位、承租单位的安全生产统一协调、管理的。

（22）两个以上生产经营单位在同一作业区域内进行可能危及对方安全生产的生产经营活动，未签订安全生产管理协议或者未指定专门安全生产管理人员进行安全检查与协调的。

（23）生产经营单位生产、经营、储存、使用危险物品的车间、商店、仓库与员工宿舍在同一座建筑内，或者与员工宿舍的距离不符合安全要求的。

（24）生产经营场所和员工宿舍未设有符合紧急疏散需要、标志明显、保持畅通的出口，或者封闭、堵塞生产经营场所或者员工宿舍出口的。

（25）生产经营单位与从业人员签订协议，免除或者减轻其对从业人员因生产安全事故伤亡依法应承担的责任的。

（26）生产经营单位不具备本法和其他有关法律、行政法规和国家标准或行业标准规定的安全生产条件，经停产停业整顿仍不具备安全生产条件的。

（27）生产经营单位发生生产安全事故造成人员伤亡、他人财产损失的。

（三）从业人员的安全生产违法行为

《中华人民共和国安全生产法》规定追究法律责任的生产经营单位有关人员的安全生产违法行为，有下列7种。

（1）生产经营单位的决策机构、主要负责人、个人经营的投资人不依照本法规定保证安全生产所必须的资金投入，致使生产经营单位不具备安全生产条件的。

（2）生产经营单位的主要负责人未履行本法规定的安全生产管理职责的。

（3）生产经营单位与从业人员签订协议，免除或者减轻其对从业人员因生产安全事故伤亡依法应承担的责任的。

（4）生产经营单位主要负责人在本单位发生重大安全生产事故时，不立即组织抢救或者在事故调查期间擅自离职或者逃匿的。

（5）生产经营单位主要负责人对生产安全事故隐瞒不报、谎报或者拖延不报的。

（6）生产经营单位的从业人员不服从管理，违反安全生产规章制度或者操作规程的。

（7）生产安全事故的责任人未依法承担赔偿责任，经人民法院依法采取执行措施后，仍不能对受害人予以足额赔偿的。

《中华人民共和国安全生产法》对上述安全生产违法行为设定的法律责任分别是：处以降职、撤职、罚款、拘留的行政处罚；构成犯罪的，依法追究刑事责任。

第三节 船舶修造安全特点

船舶修造行业是人员密集、技术密集、工种密集的重工型行业，管理稍有不慎，就容易发生事故，是事故率较高的行业之一。船舶生产事故的发生虽然具有一定的偶然性，但从长期来看，事故发生也具有一定的规律性。船舶修造行业事故具有以下几个方面的特点。

一、事故率较高

船舶修造行业事故发生率一直居高不下，其原因有两个方面：一是船舶修造行业属于劳动力和技术密集型行业，几乎囊括重工业的所有工种，包括切割、焊接、涂装等特种作业和高空作业、立体交叉作业、水上作业、起重作业等危险性较大的作业；二是船舶产品难以形成批量生产效应，船舶类型复杂多变，其技术涉及钢结构、机械、电气、冶金、化工等众多学科。除此之外，船舶修造行业工作人员的流动性大、机械化程度低、手工作业多、短期务工人员多且缺少系统的培训，这些都是危及安全生产的因素。

虽然我国船舶修造行业的发展速度很快，已经成为修造船大国，但由于人员素质以及劳动安全保护等方面的诸多原因，行业风险率仍然很高，在所有行业中仅次于矿山行业。

二、事故类型多

船舶修造行业具有多工种、立体交叉作业的特点，在作业中发生的事故形式多种多样。根据某船舶集团3家下属企业5年间有记录的133起事故的分析来看，发生事故的种类多达十几种。其中高处坠落、物体打击和起重伤害3种事故最为集中，分别占了36%、20%和14%，共占事故总量的70%；厂内车辆伤害、机械伤害、热工灼伤3种事故各占事故总量的

6%;一般火灾事故占事故总量的 5%;另外出现的事故形式还有中毒、爆炸、淹溺、触电、中暑、船舶倾覆等,具体统计数据如表 1-1 所列。

表 1-1 某船舶集团 3 家下属企业 5 年间事故统计表

事故类型	事故所占比例/%	事故类型	事故所占比例/%
高处坠落	36	热工灼伤	6
物体打击	20	一般火灾	5
起重伤害	14	中毒	3
车辆伤害	6	爆炸	2
机械伤害	6	淹溺	2

三、违章作业多

导致事故的原因很多,但对我国一些重点船舶生产企业发生事故情况的调查显示,由于违反操作规程和劳动纪律所造成的事故约占 70%,个别船厂甚至更高。违章作业有工作人员业务水平的原因,如工作人员自身的业务水平较低,不能正确地掌握操作规程和操作办法,没有足够的作业经验等,尤其是一些新的设备或技术投入工作时更容易出现上述问题。但违章作业更多的原因是工作人员的安全意识淡薄,存在一定的侥幸心理,贪图省事。因此,必须强化对工作人员的安全意识教育。

四、事故的发生有明显的时间性

某船舶企业安全管理部对本公司 5 年间事故的调查统计结果显示,船舶生产事故的发生有明显的时间区段。

每天的事故发生率有一定的时段规律,如图 1-1 所示为每天事故分时趋势图。

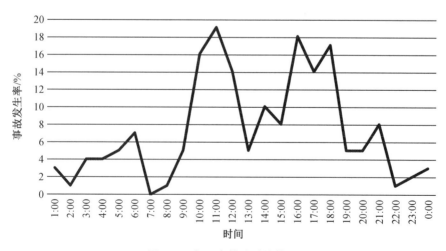

图 1-1 每天事故分时趋势图

从图 1-1 中可以看出,每天事故高峰有 4 个阶段,分别是 11:00 前后、14:00 前后、16:00 前后和 18:00 前后,其中 11:00 和 16:00 前后事故率最高,这段时间也是生产最繁忙的时间;14:00 前后事故高峰是人的生理特点所决定的,如果作业人员中午没有很好地休息,下午就会比较困乏;18:00 前后正是管理人员换班和吃饭时间,也是管理人员最少的时间;夜间由于作业人员相对较少,事故发生率相对较低,但夜间 22:00 前后和凌晨 5:00 前后事故相对较多,因为夜间 22:00 前后是夜间作业最繁忙的时候,凌晨 5:00 前后是作业人员最疲乏的时候。

同样,每年事故发生率也有一定的时段规律性,如图 1-2 所示为历年事故月份趋势图。

从图 1-2 中可以看出,每年 3,4,5,6 月份是事故高峰期,并且逐月下降,7,8,9 月份比较平稳,10 月份事故率相对较低,11 月份开始,事故发生率逐渐上升,直至次年 3 月份达到最高峰。船舶生产事故分析的结果与各船舶生产企业的劳务工队伍的状况十分吻合:每年3 月份是劳务工大量入厂的时间,教育培训不完善,新员工对施工环境不熟悉,对规章制度掌握较少,对船舶生产过程中的危险认识不足以及许多员工春节后情绪尚未完全稳定等因素,造成事故多发。随着劳务工队伍的逐步稳定和日常安全教育管理逐步见效,事故发生率逐月下降,每年的 7,8,9,10 月份是生产最稳定的季节,劳务工队伍也相对稳定,事故发生率相对较低。而从 11 月份开始,包括船厂各级管理人员和劳务工经过一段时间的平稳后,会不自觉地放松安全警惕,安全意识有些松懈,因而事故发生率开始上升,到 1,2 月份,劳务工开始考虑返乡,队伍流动逐渐加大以及冬季自然环境较差等因素,造成员工心理状态不稳定,事故也渐渐增多。

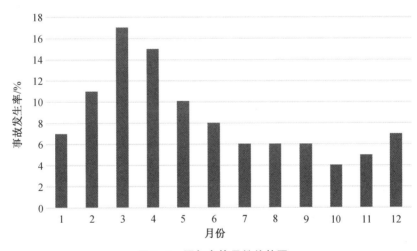

图 1-2　历年事故月份趋势图

船舶修造行业事故的发生既与其他行业事故的发生有相同的规律和特点,也有其自身的一些规律和特点,这些规律和特点是客观存在的,是在付出惨痛代价后总结出来的。企业管理人员和作业人员应该从以往的经验教训中总结经验,根据管理和安全作业的要求,把握规律,做好预控,指导安全管理工作科学、有序地开展,为船舶修造行业的高质量发展和员工的生命安全与健康做好安全保障。

第四节 船舶修造危险源

一、危险源的定义与分类

(一)危险源的定义

危险源,即危险的根源,是指可能导致人员伤害或财物损失事故的潜在的不安全因素。按此定义,生产生活中的许多不安全因素都是危险源。

(二)危险源的分类

危险源是生产作业中潜在的不安全因素,其种类繁多,并且非常复杂,它们在导致事故发生、造成人员伤害和财物损失方面所起的作用很不相同,其识别和控制方法也不相同。根据危险源在事故发生、发展中的作用,可以把危险源划分为第一类危险源和第二类危险源两大类。

1. 第一类危险源

根据能量意外释放论,事故是能量或危险物质的意外释放,作用于人体的过量的能量或干扰人体与外界能量交换的危险物质是造成人员伤害的直接原因。于是,系统中存在的、可能发生意外释放的能量或危险物质称作第一类危险源。

(1)常见的第一类危险源如表1-2所示。

表1-2　常见的第一类危险源

事故类型	能量源或危险物的生产、储存	能量载体或危险物
物体打击	产生物体落下、抛出、破裂、飞散的设备、场所、操作	落下、抛出、破裂、飞散的物体
车辆伤害	车辆,使车辆移动的牵引设备、坡道	运动的车辆
机械伤害	机械的驱动装置	机械的运动部分、人体
起重伤害	起重、提升机械	被吊起的重物
触电	电源装置	带电体、高跨步电压区域
灼烫	炉、灶、发热体等热源设备、加热设备	高温物体、高温物质
火灾	可燃物	火焰、烟气
高处坠落	高度差大的场所、人员借以升降的设备和装置	人体
坍塌	土石方工程的边坡、料堆、料仓、建筑物、构筑物	边坡土(岩)体、物料、建筑物、构筑物、载荷
冒顶、片帮	矿山采掘空间的围岩体	顶板、两帮围岩
放炮、火药爆炸	炸药	
瓦斯爆炸	可燃性气体、可燃性粉尘	
锅炉爆炸	锅炉	蒸汽

表1-2(续)

事故类型	能量源或危险物的生产、储存	能量载体或危险物
压力容器爆炸	压力容器	内容物
淹溺	江、河、湖、海、池塘、洪水、储水容器	水
中毒、窒息	产生、储存、聚积有毒有害物质的装置、容器、场所	有毒有害物质

(2)产生、供给能量的装置、设备,如变电所等。

(3)使人体或物体具有较高势能的装置、设备、场所,如起重机等。

(4)能量载体、拥有能量的人或物,如运动中的车辆等。

(5)一些正常情况下按人们的意图进行能量转换和做功,在意外情况下可能产生巨大能量的装置、设备、场所,如强烈放热反应的化工装置等。

(6)正常情况下多余的能量被泄放而处于安全状态,一旦失控则发生能量的大量蓄积,其结果可能导致大量能量的意外释放的装置、设备、场所,如各种压力容器等。

(7)危险物质。除了干扰人体与外界能量的交换的有害物质外,也包括具有化学能的危险物质,如各种有毒、有害、可燃易爆物质等。

(8)生产、加工、储存危险物质的装置、设备、场所,如炸药的生产、加工、储存装置,石油化工生产装置等。

(9)一旦与之接触将导致人体受到伤害的物体,如工件的毛刺、分离的刀刃等。

第一类危险源具有的能量越多,一旦发生事故其后果越严重。相反,第一类危险源处于低能量状态时比较安全。同样,第一类危险源包含的危险物质的量越多,干扰人的新陈代谢越严重,其危险性越大。

2. 第二类危险源

在生产、生活中,为了利用能量,让能量按照人们的意图在系统中流动、转换和做功,必须采取措施约束、限制能量,即必须控制危险源,防止能量意外释放。实际上,绝对可靠的控制措施并不存在,在许多因素的复杂作用下,约束、限制能量的控制措施可能失效,能量屏蔽可能被破坏而发生事故。导致约束、限制能量措施失效或能量屏蔽被破坏的各种不安全因素称作第二类危险源。它包括人、物、环境三个方面,如表1-3所示。

表1-3 第二类危险源的各种因素

因素		具体说明	影响
人	不安全行为	一般指明显违反安全操作规程的行为,这种行为往往直接导致事故发生。例如,不断开电源就修理电气线路而发生触电等	可能直接失去对第一危险源的控制,造成能量或危险物的意外释放;也可能造成物的不安全因素问题,进而导致事故发生。例如,超载起吊重物造成钢丝绳断裂,发生重物坠落事故
	人的失误	指人的行为的结果偏离了预定的标准。例如,合错了开关使检修中的电路带电、误开阀门使有毒气体泄放等	

表 1-3(续)

因素	具体说明		影响
物	物的不安全状态	是指机械设备、物质等明显的不符合安全要求的状态。例如,没有防护装置的转动齿轮、裸露的带电体等	可能直接使约束、限制能量或危险物质的措施失效而发生事故,例如,电线绝缘损坏发生漏电、管路破裂使其中的有毒有害介质泄露等。有时一种物的故障可能导致另一种物的故障,最终造成能量或危险物质的意外释放。例如,压力容器的泄压装置故障,致使容器内部介质压力上升,最终导致容器破裂
	物的故障(或失效)	指机械设备、零部件等由于性能低下而不能实现预定功能的现象	
环境	主要指系统运行的环境,包括温度、湿度、照明、粉尘、通风换气、噪声和振动等物理环境及企业和社会的软环境		不良的物理环境会引起人或物的不安全因素问题,例如,潮湿的环境会加速金属腐蚀而降低结构或容器的强度;工作场所强烈的噪声影响人的情绪,分散人的注意力而导致人的失误;企业的管理制度、人际关系或社会环境影响人的心理,可能造成人的不安全行为或人的失误

第二类危险源往往是一些围绕第一类危险源随机发生的现象,它们出现的情况决定了事故发生的可能性。第二类危险源出现得越频繁,事故发生的可能性越大。

3. 两类危险源的关系

一起事故的发生是两类危险源共同作用的结果。第一类危险源的存在是事故发生的前提,第二类危险源的出现是第一类危险源导致事故发生的必要条件。第二类危险源的控制应该在第一类危险源控制的基础上进行。与第一类危险源的控制相比,第二类危险源是一些围绕第一类危险源随机发生的现象,第二类危险源的控制更困难。

二、危险源辨识的步骤和方法

(一)危险源辨识的步骤

1. 确定危险、危害因素的分布

对各种危险、危害因素进行归纳总结,确定企业中有哪些危险、危害因素及其分布状况等。

2. 确定危险、危害因素的内容

为了便于对危险、危害因素进行分析,防止遗漏,且按厂址、平面布局、建(构)筑物、物质、生产工艺及设备、辅助生产设施(包括公用工程)、作业环境危险等部分,分别分析其存在的危险、危害因素,并列表登记。

3.确定伤害(危害)方式

伤害(危害)方式指危险、危害因素对人体造成伤害、对人体健康造成损坏的方式。例如,机械伤害(危害)的挤压、碰撞、剪切等,中毒的靶器官、生理功能异常、生理结构损伤形式(如黏膜糜烂、植物神经紊乱、窒息等),粉尘在肺泡内阻留、肺组织纤维化、肺组织癌变等。

4.确定伤害(危害)途径和范围

大部分危险、危害因素通过人体直接接触造成伤害。如爆炸通过冲击波、火焰、飞溅物体在一定空间范围内造成伤害;毒物通过直接接触(呼吸道、食道、皮肤黏膜等)或一定区域内通过呼吸带的空气作用于人体;噪声是通过一定距离的空气损伤听觉的。

5.确定主要危险、危害因素

对导致事故发生的直接原因、诱导原因进行重点分析,从而为确定评价目标和评价重点、划分评价单元、选择评价方法及采取控制措施计划提供基础。

6.确定重大危险、危害因素

分析时要防止遗漏,特别是对可能导致重大事故的危险、危害因素要给予特别的关注,不得忽略。不仅要分析正常生产运转、操作时的危险、危害因素,更重要的是要分析设备、装置破坏及操作失误可能产生严重后果的危险、危害因素。

(二)危险源辨识的方法

1.询问、交谈

在企业中,有丰富工作经验的老员工,往往能指出其工作中的危害。从他们指出的危害中,企业可初步分析出工作中所存在的一类、二类危险源。

2.问卷调查

问卷调查是指利用事先准备好的一系列问题,通过到现场察看及与作业人员交流沟通的方式。来获取职业健康安全危险源的信息。

3.现场观察

通过对作业环境的现场观察,可发现存在的危险源。从事现场观察的人员,要求具有安全技术知识并掌握相关职业健康安全法规、标准。

4.查阅有关记录

查阅企业的事故、职业病的相关记录,可从中发现存在的危险源。

5.获取外部信息

从有关类似组织、文献资料、专家咨询等方面获取有关危险源信息,加以分析研究,辨识出组织存在的危险源。

6.工作任务分析

通过分析组织成员工作任务中所涉及的危害,可以对危险源进行识别。

7.安全检查表

运用已编制好的安全检查表对组织进行系统的安全检查,可辨识出存在的危险源。

8.危险与可操作性研究

危险与可操作性研究是一种对工艺过程中的危险源实行严格审查和控制的技术。它是通过指导语句和标准格式寻找工艺偏差,以辨识系统存在的危险源,并确定控制危险源风险的对策。

9. 事件树分析

事件树分析是一种从初始原因事件起,分析各环节事件"成功(正常)"或"失败(失效)"的发展变化过程,并预测各种可能结果的方法,即时序逻辑分析判断方法。应用这种方法对系统各环节事件进行分析,可辨识出系统的危险源。

10. 故障树分析

故障树分析是一种根据系统可能发生的或已经发生的事故结果,去寻找与事故发生有关的原因和规律。通过这样一个过程分析,可辨识出系统中导致事故发生的有关危险源。

(三)危险源分级

1. A级

A级危险源是指可能造成多人伤亡,或可能引起重大火灾、爆炸事故,导致设备及厂房设施遭到毁灭性破坏,或根据《危险化学品重大危险源辨识》(GB 18218—2018)标准的规定被确定为重大危险源的设备设施。

2. B级

B级危险源是指可能造成人员死亡或终身残疾性重伤,或引起一般火灾、爆炸事故导致设备设施、厂房局部损坏,或可能造成生产暂时中断(8 h以上),或风险评价结果为一级重大危害的危险源。

3. C级

C级危险源是指可能造成人员永久性局部丧失劳动能力(伤愈后不能从事原岗位工作的重伤),或可能造成生产短暂中断(8 h以内),或风险评价结果为二级重大危害的危险源。

4. D级

D级危险源是指可能造成一般伤害事故或风险评价结果为三级及以下的危险源。

三、危险源控制

(一)防止人的失误与不安全行为

人的行为控制是指控制人为失误,减少人的不正确行为对危险源的触发作用。人为失误的主要表现形式有操作失误、指挥错误、不正确的判断或缺乏判断、粗心大意、厌烦、懒散、疲劳、紧张、疾病或生理缺陷、错误使用防护用品和防护装置等。要想做好人的行为控制,首先是加强教育培训,做到人的安全化;其次应做到操作安全化。

(二)控制作业设备的不安全因素

企业除建立健全各项规章制度外,还应建立健全危险源的安全档案和设置安全标志牌。企业应按安全档案管理的有关内容要求建立危险源的档案,并指定由专人保管、定期整理。应在危险源的显著位置悬挂安全标识牌,标明危险等级,注明负责人员,按照国家标准标明主要危险并扼要注明防范措施。

(三)控制作业环境的不安全因素

(1)有发生爆炸危险的场所。
(2)有提升系统危险的场所。

（3）有被车辆伤害危险的场所。

（4）有高空坠落危险的场所。

（5）有触电伤害的场所。

（6）有烧伤、烫伤危险的场所。

（7）有腐蚀、放射、辐射、中毒和窒息危险的场所。

（8）有落物、飞溅、滑坡、坍塌、压埋、淹溺危险的场所。

（9）有被物体碾、刮、夹、刺和撞击等危险的场所和其他容易致人伤害的场所。

第五节 基本急救知识

一、急救概述

1. 急救的定义

急救是当人遭受意外伤害或突发疾病时,在医生未来治疗或送医前,立即给予伤员的现场临时救护措施。

2. 急救的目的

（1）挽救生命。

（2）防止伤势恶化。

（3）使伤员及早获得治疗。

3. 急救的任务

（1）营救:确定伤员无进一步危险,若有,则立即除去不安全因素。

（2）迅速、镇静地对伤员进行检查:自头开始,依次为颈、胸、腹、背、骨盆、四肢。其方法有三:

①观察:呼吸、出血、瞳孔、肤色。

②按摸:脉搏、体温、疼痛反应、肿胀等。

③交谈:判断患者的意识状况,询问伤员意外发生的过程、姓名、电话、住址等。

（3）给予伤员优先进行的急救工作

①维持呼吸道的畅通。

②重建呼吸功能:呼吸停止者,施以人工呼吸。

③重建血液循环功能:心跳停止者,施以心外按摩;止住严重出血。

④预防休克。

⑤预防继续损伤。

4. 急救的一般原则

（1）将伤员置于正确舒适的位置,预防恶化。

（2）预防休克,注意保暖。

（3）补充体液,给予生理盐水。

（4）给予心理的支持,消除焦虑。

（5）若非必要,不要翻动伤员或脱去其衣物。

（6）遣散人群,保持周围空气流通。

（7）寻求支持。

二、常见急救知识

(一)心肺复苏抢救

适用范围:由急性心肌梗死、脑卒中、严重创伤、电击伤、溺水、挤压伤、踩踏伤、中毒等多种原因引起的呼吸、心脏骤停的伤病员。

抢救生命的黄金时间是 4 min,现场及时开展有效的抢救非常重要,我们每一个人都应该掌握心肺复苏技术。

1. 心肺复苏基本步骤/方法

(1)判断意识。轻拍伤病员肩膀,高声呼喊:"喂,你怎么了!"

(2)高声呼救"快来人啊,有人晕倒了,快拨打急救电话!"或赶快呼叫场馆内的急救人员。

(3)将伤病员摆成仰卧姿势,放在坚硬的平面上。

(4)打开气道。用仰头举颏法打开气道,使下颌角与耳垂连线垂直于地面(90°)。

(5)判断呼吸。一看,看胸部有无起伏;二听,听有无呼吸声;三感觉,感觉有无呼出气流拂面。注意判断呼吸的时间不能少于 5 s。

(6)口对口人工呼吸。救护员将放在伤病员前额的手的拇指、食指捏紧伤病员的鼻翼,吸一口气,用双唇包严伤病员口唇,缓慢持续地将气体吹入。吹气时间为 1 s 以上。吹气量 700~1 000 mL(吹气时,病人胸部隆起即可,避免过度通气),吹气频率为 12 次/min(每 5 s 吹一次)。正常成人的呼吸频率为 12~16 次/min。

(7)胸外心脏按压。

①救护员用一手中指沿伤病员一侧肋弓向上滑行至两侧肋弓交界处,食指、中指并拢排列,另一手掌根紧贴食指置于伤病员胸部。

②救护员双手掌根同向重叠,十指相扣,手指翘起离开胸骨,双臂伸直,上半身前倾,以髋关节为支点,垂直向下用力、有节奏地按压 30 次。

③按压与放松的时间相等,下压深度 4~5 cm,放松时保证胸骨完全复位,按压频率 100 次/分钟。正常成人脉搏 60~100 次/min。

(8)注意事项

①按压与通气之比为 30∶2,做 5 个循环后可以观察一下伤病员的呼吸和脉搏。

②操作全过程注意保持患者气道开放。

③判断呼吸及循环时,应"1001,1002……"数数,以保证判断时间足够。

④人工呼吸时,吹气要深而慢,并观察患者有无胸廓起伏。如胸廓无起伏,可能气道不够通畅、吹气不足或气道阻塞,应重新开放气道或清除口腔异物。

⑤吹气不可过猛过大,以免气体吹入胃内引起胃胀气。

⑥判断循环时,触摸颈动脉不能用力过大,或同时触摸两侧颈动脉,并注意不要压迫气管;颈部创伤者可触摸肱动脉或股动脉。

⑦按压部位要准确、力度要均匀,注意肘关节伸直,双肩位于双手的正上方,手指不应压于胸骨上。在按压间隙的放松期,操作者手掌根不能离开胸骨,以免移位。

2. 自动体外除颤器(AED)使用步骤:

(1)开启 AED,打开 AED 的盖子,依据视觉和声音的提示操作。

（2）在患者胸部适当的位置，紧密地贴上电极。通常而言，两块电极板分别贴在右胸上部和左胸（左乳头外侧），具体位置可以参考 AED 机壳上的图样和电极板上的图片说明。

（3）将电极板插头插入 AED 主机插孔。

（4）开始分析心律，在必要时除颤，按下"分析"键（有些型号在插入电极板后会发出语音提示，并自动开始分析心率，在此过程中请不要接触患者，即使是轻微的触动都有可能影响 AED 的分析），AED 将会开始分析心率。分析完毕后，AED 将会发出是否进行除颤的建议，当有除颤指征时，不要与患者接触，同时告诉附近的其他人远离患者，由操作者按下"放电"键除颤。

（5）一次除颤后未恢复有效灌注心律的，进行 5 个周期 CPR。除颤结束后，AED 会再次分析心律，如未恢复有效灌注心律，操作者应再进行 5 个周期 CPR，然后再次分析心律、除颤、CPR，反复至急救人员到来。

（6）注意事项

①AED 瞬间产生的能量可以达到 200 焦耳，在给病人施救过程中，请在按下通电按钮后立刻远离患者，并告诫身边人不得接触靠近患者。

②患者在水中不能使用 AED，患者胸部如有汗水则需要快速擦干胸部，因为水会降低 AED 功效。

③如果在使用完 AED 后，患者没有任何生命特征（没有呼吸心跳），则需要马上送医院救治。

（二）触电的急救

（1）首先要使触电者迅速脱离电源，越快越好。

（2）把触电者接触的那一部分带电设备的开关、刀闸或其他断路设备断开；或设法将触电者与带电设备脱离。

（3）触电者未脱离电源前，救护人员不可直接用手触及伤员。

（4）如触电者处于高处，脱离电源后会自高处坠落，则救援时要采取相应措施。

（5）触电者触及低压带电设备时，救护人员应设法迅速切断电源，如拉开电源开关或刀闸、拔除电源插头等；或使用绝缘工具，干燥的木棒、木板、绳索等不导电的物体解脱触电者；可抓住触电者干燥而不贴身的衣服，也可戴绝缘手套或将手用干燥衣物等包起绝缘后协助触电者解脱；救护人员也可站在绝缘垫或干木板上，先绝缘自己再进行救护。

（6）触电者触及高压带电设备时，救护人员应迅速切断电源，或用适合该电压等级的绝缘工具（戴绝缘手套、穿绝缘靴并用绝缘棒）解救触电者。救护人员在抢救过程中应注意保持自身与周围带电部分必要的安全距离。

（7）如果触电发生在架空线杆塔上，如属低压带电线路，若可能立即切断线路电源的，应迅速切断电源，或者由救护人员迅速登杆，系好自己的安全带后，用带绝缘胶柄的钢丝钳、干燥的不导电物体或绝缘物体帮触电者脱离电源；如属高压带电线路，又不可能迅速切断电源开关的，可采用抛挂足够截面的、适当长度的金属短路线方法，使电源开关跳闸。

（8）如果触电者触及断落在地上的带电高压导线，且尚未确证线路无电，救护人员在未做好安全措施（如穿绝缘靴或临时双脚并紧跳跃地接近触电者）前，不能接近断线点 8～10 m 范围内，防止跨步电压伤人。触电者脱离带电导线后应迅速将其带至 8 m 以外后立即开始触电急救。只有在确证线路已经无电时，才可在触电者离开触电导线后，立即就地进行急救。

（9）救护触电伤员切断电源时，有时会同时使照明失电，因此应考虑事故照明、应急灯等临时照明。新的照明要符合使用场所防火、防爆的要求，但不能因此延误切除电源和进行急救。

（10）伤员脱离电源后的处理

①触电伤员如神志清醒，应使其就地躺平，严密观察，暂时不要站立或走动。

②触电伤员如神志不清，应就地仰面躺平，且确保气道通畅，并呼叫伤员或轻拍其肩部，以判定伤员是否意识丧失，禁止摇动伤员头部呼叫伤员。

（三）高坠、物体打击和机械伤害的急救

1. 一般伤口的处置措施

（1）伤口不深的外出血症状。先用过氧化氢将创口的污物进行清洗，再用酒精消毒（无过氧化氢、酒精等消毒液时可用瓶装水冲洗伤口污物），伤口清洗干净后用纱布包扎止血。出血较严重者，用多层纱布加压包扎止血，然后立即送往医院进行进一步救治。

（2）一般的小动脉出血。用多层纱布加压包扎即可止血。较大的动脉创伤出血，还应在出血位置的上方动脉搏动处用手指压迫或用止血胶管（或布带）在伤口近心端进行绑扎，加强止血效果。

（3）大的动脉及较深创伤大出血。在做好现场应急止血包扎的同时，呼叫120救护车前来急救或送往医院接受救治，以免贻误最佳救治时机。

（4）出血较严重。在止血的同时，还应密切注视出血伤员的神志、皮肤、温度、脉搏、呼吸等体征情况，以判断伤员是否进入休克状态。

2. 骨折伤亡的处置措施

（1）对清醒伤员应询问其自我感觉情况及疼痛部位。

（2）观察伤员的体位情况。所有骨折伤员都有受伤体位异常的表现，这是典型的骨折症状。对于昏迷者要注意观察其体位有无改变，切勿随意搬动伤员。在检查时，切忌让伤员坐起或使其身体扭曲，也不能让伤员做身体各个方向的活动，以免骨折移位及脱位加剧，引起或加重骨髓及脊髓神经损伤，甚至造成瘫痪。

（3）对于脊椎骨折的伤员，应刺激受伤部位以下的皮肤（例如，腰椎受伤，刺激其胸部和上下腹部及腿脚皮肤做比较鉴别），观察伤员的反应以确定脊髓有无受压、受损害。搬运时应用夹板或硬纸皮垫在伤员的身下，搬运时要用力均匀地抬起夹板或硬纸皮将伤者平卧位放在硬板上，以免受伤的脊椎移位、断裂造成截瘫或导致死亡。

（4）对由脊椎骨折移位导致出现脊髓受压症状的伤员，如其不在危险区域，暂无命危险，最好待医务急救人员到来后再进行搬运。

（5）对手足大骨骨折的伤员，不要盲目搬动，应先在骨折部位用木板条或竹板片（竹棍甚至钢筋条）在骨折位置的上、下关节处做临时固定，如没有任何物品可作固定器材，可将伤者躯干与伤肢绑在一起，使断端不再移位或刺伤肌肉、神经或血管，然后呼叫120救护车前来救护或送医院接受救治。

（6）如有骨折断端外露在皮肤外，切勿强行将骨折断端按压进皮肤下面，宜先用干净的纱布覆盖好伤口，固定好骨折上、下关节部位，然后呼叫120急救人员前来救援。

3. 颅脑损伤的处置措施

(1)颅骨损伤导致颅内高压的症状有:昏迷、呕吐(呈喷射状)、脉搏或呼吸紊乱、瞳孔放大或缩小、大小便失禁等。

(2)颅底骨折或颅骨骨折的伤员不一定有昏迷、呕吐症状,但会出现脉搏或呼吸紊乱、瞳孔放大或缩小,鼻、眼、口腔甚至耳朵有无色液体流出的症状。伴颅内出血者可见血性液体流出。

(3)颅脑损伤的伤员若昏迷,首先必须维持其呼吸道畅通。昏迷伤员应侧卧位或仰卧偏头,以防舌根下坠或分泌物、呕吐物吸入气管,引发气道阻塞。如有异物可用手指从口角一边插入摸至另一边将异物勾出。对烦躁不安者可适当地予以手足约束,以防止伤及开放伤口。

(4)对于有颅骨凹陷性骨折的伤员,创伤处应用消毒的纱布覆盖,用绷带或布条包扎后,立即呼叫120急救人员送往医院进行救治。

4. 机械伤害的处置措施

(1)发生断手、断指等严重情况时,对伤者伤口要进行包扎止血、止痛,进行半握拳状的功能固定。对断手、断指应用消毒或清洁敷料包好,忌将断指浸入酒精等消毒液中,以防细胞变质。将包好的断手、断指放在无泄漏的塑料袋内,扎紧袋口,在袋周围放些冰块,速随伤者送医院抢救。

(2)若肢体卷入设备内,必须立即切断电源,如果肢体仍被卡在设备内,不可用倒转设备的方法取出肢体,妥善的方法是拆除设备部件,无法拆除时可拨打119请求救援。

此外,若受伤人员出现呼吸、心跳停止症状后,应立即进行心肺复苏抢救。

(四)中毒的急救

(1)帮助窒息人员脱离危险地点。

(2)对于有毒化学药品中毒地点发生人员窒息的事故,救援人员应携带隔离式呼吸器到达事故现场,正确戴好呼吸器后,进入现场进行施救。

(3)对于密闭空间内由于缺氧导致人员窒息的事故,施救人员应先强制向空间内部通风换气后方可进入进行施救。

(4)对于电缆沟、排污井、排水井等地下沟道内可能产生有毒气体的地点,救援人员在施救前应先进行有毒气体检测(方法为通过有毒气体检测仪、小动物试验等),确认安全后,或者现场有防毒面具则应正确戴好防毒面具后进入现场进行施救。

(5)施救人员做好自身防护措施后,将窒息人员救离受害地点至地面以上或通风良好的地点等待医务人员救治,或在医务人员没有到场的情况下进行紧急救助。

(6)检查伤员呼吸和心跳,若呼吸、心跳停止,则应立即进行心肺复苏。

(五)中暑的急救

1. 先兆中暑和轻度中暑处理

(1)迅速将中暑者移至阴凉、通风的地方,同时垫高头部,解开衣裤,以利呼吸和散热。

(2)用湿毛巾敷头部或用冰袋置于中暑者头部、腋窝、大腿根部等处。若病人能饮水,可让病人饮大量的水,水中加少量食盐。

(3)病人呼吸困难时,应进行人工呼吸。

（4）暂时停止现场作业，检查工作场所的通风降温设施，采取有效措施降低工作环境温度。

2. 重度中暑处理

（1）立即将所有中暑人员抬离工作现场，移至阴凉、通风的地方，并立即联系医护人员到达现场进行施救。

（2）暂时停止现场作业，检查工作场所的通风降温设施，找出中暑原因并采取有效措施降低工作环境温度。

（3）病情严重者应立即联系车辆，并由医护人员边抢救边护送至医院。必要时可拨打120急救电话。

（4）根据现场事态发展，决定是否组织对该工作场所的人员进行疏散。

（六）烫伤与烧伤

烫伤与烧伤事故在生产过程中很常见，如果能及时正确地处理，可有效减缓烫伤与烧伤的程度。

（1）首先隔断热源，远离造成烫伤与烧伤的危险源。

（2）立即用清水反复冲洗伤口至少 10 min，使伤口冷却。

（3）小心除去创面及周围的衣物、皮带、手表、戒指、鞋等。

（4）烫伤与烧伤严重的病人，用清洁的布料遮盖伤处，立即送医院救治。

（5）对轻度烫伤与烧伤者，在自行处理后，也应去医院就诊。

第六节　安全生产文化

一、安全文化

文化是一种无形的力量，影响着人的思维方法和行为方式，在安全生产领域，安全文化建设是预防事故的一种"软"力量，是一种人性化的管理手段。利用文化的力量，以及文化的导向、凝聚、辐射和同化等功能，引导全体职工采用科学的方法从事安全生产活动，持之以恒地坚持企业安全文化建设，在企业形成尊重生命的价值观，形成统一的思维方式和行为方式，进而提升企业安全目标、政策、制度的贯彻执行力。

（一）安全文化的定义与内涵

1. 安全文化的定义

广义的安全文化指人类生存繁衍和发展历程中，在其从事生产生活乃至生存实践的一切领域内，为保障人类身心安全并使其能安全、舒适、高效地从事一切活动，预防、避免、控制和消除意外事故和灾害；为建立起安全、可靠、和谐、协调的环境和匹配运行的安全体系；为人类变得更加安全、康乐、长寿，使世界变得友爱、和平、繁荣而创造的物质财富和精神财富的总和。

狭义的安全文化指企业安全文化，一个单位的安全文化是个人和集体的价值观、态度、能力和行为方式的综合产物。安全文化分为三个层次：

（1）直观的表层文化。

（2）企业安全管理体制的中层文化。

（3）安全意识形态的深层文化。

2. 安全文化的内涵

企业安全文化包括员工在从事生产经营活动中的身心安全与健康,既包括无损、无害、不伤、不亡的物质条件和作业环境,也包括员工对安全的意识、信念、价值观、经营思想、道德规范、企业安全激励、进取精神等安全的精神因素。

(二)企业安全文化的基本特征和主要功能

1. 基本特征

一是在企业生产经营过程中,为保障企业安全生产,保护员工身心健康所涉及的种种文化实践及活动;二是企业安全文化与企业文化目标基本是一致的,即以人为本,以人的柔性管理为基础;三是企业安全文化更强调企业安全形象、安全奋斗目标、安全激励精神、安全价值观和安全生产及产品安全质量、企业安全风貌及"商誉"效应等,是企业凝聚力的体现,对员工有很强的吸引力和无形的约束作用,能激发员工产生强烈的责任感;四是企业安全文化对员工有很强的潜移默化的作用,能影响人的思维,改善人的心智模式,改变人的行为。

2. 主要功能

一是导向功能,使个体的目标、价值观、理想与企业的目标、价值观、理想有高度的一致性和同一性;二是凝聚功能,当企业安全文化所提出的价值观被企业职工内化为个体价值观和目标后,会产生一种强大的群体意识,形成强大的凝聚力和向心力;三是激励功能,企业安全文化所提出的价值观向员工展示了工作意义,员工在理解工作意义后,产生更大的工作动力,一方面用企业宏观理想和目标激励职工奋发向上,另一方面为职工指明成功的标准与标志,使其有具体的奋斗目标;四是辐射和同化功能,企业安全文化一旦形成,便会对周围群体产生强大的影响,迅速向周边辐射,比如同化一批又一批新来者,使他们接受文化并保持与传播,使企业安全文化的生命力得以持久。

二、安全生产目视管理

(一)安全色、安全标志和安全标语

1. 安全色使用标准

安全色是表达安全信息的颜色,表示禁止、警告、指令、提示等意义。正确使用安全色,可以使工作人员迅速发现或分辨安全标志,及时得到提醒,以防止事故、危害发生。

（1）红色。红色表示禁止、停止、消防和危险。凡是禁止、停止和有危险的器件、设备或环境,都应涂以红色的标记。

（2）黄色。黄色表示警示。警示人们注意的器件、设备或环境,应涂以黄色标志。

（3）蓝色。蓝色表示指令、必须遵守的规定。

（4）绿色。绿色表示通行、安全和提供信息。凡是可以通行或安全的情况,应涂以绿色标记。

（5）红色和白色相间隔的条纹。红色与白色相间隔的条纹比单独使用红色更为醒目,

表示禁止通行、禁止跨越,用于公路、交通等方面所用的防护栏杆及隔离墩。

(6)黄色与黑色相间隔的条纹。黄色与黑色相间隔的条纹比单独使用黄色更为醒目,表示特别注意,用于起重吊钩、平板拖车、排障器、低管道等方面。相间隔的条纹,两色宽度相等,一般为 10 mm。在较小的面积上,其宽度可适当缩小,每种颜色不应少于两条,一般与水平成 45°角。在设备上的黄、黑条纹,其倾斜方向应以设备的中心线为轴,呈对称分布。

(7)蓝色与白色相间隔的条纹。蓝色与白色相间隔的条纹比单独使用蓝色更为醒目,用于交通方面的指示性导向标。

(8)白色。标志中的文字、图形、符号和背景色以及安全通道、交通方面的标线用白色。标示线、安全线的宽度不小于 60 mm。

(9)黑色。禁止、警告和公共信息标志中的文字、图形都应该用黑色。

2. 安全标志

安全标志是由安全色、边框和以图像为主要特征的图形符号或文字构成的标志,用以表达特定的安全信息。安全标志分禁止标志、警告标志、命令标志、提示标志和补充标志五大类。

(1)禁止标志

禁止标志用于禁止或制止人们做某种动作,其基本形式是带斜杠的圆边框。

(2)警告标志

警告标志用于促使人们提防可能发生的危险,其基本形式是正三角形边框。

(3)命令标志

命令标志的含义是必须遵守,其基本形式是圆形边框。

(4)提示标志

提示标志用于提示目标所在位置与方向性的信息,其基本形式是矩形边框。

(5)补充标志

补充标志是安全标志的文字说明,必须与安全标志同时使用。补充标志与安全标志同时使用时,可以连在一起,也可以分开。当横写在标志的下方时,其基本形式是矩形边框;当竖写时,则写在标志杆的上部。

3. 安全标语

安全标语是指企业为了提高员工的安全意识,在作业地点的周围张贴一些关于安全生产的宣传标语、宣传画,也叫安全生产标语、安全生产口号等。在生产现场的各个地方张贴安全标语,可以有效提醒大家重视安全,有利于降低意外事件的发生率。张贴安全标语时应做到"三要"。

(1)要注意做到与周边环境的完美统一。张贴安全标语时要注意做好规划与布置工作,使其与周边环境相协调。比如,关于企业全局性的安全标语应安放在非常醒目、开放的位置;而生产现场的安全标语则可依据安全隐患的主次关系选择张贴位置。防火重点部位、检修间、运行操作区域的安全标语是有所不同的。

(2)要突出本企业安全工作的重点和难点。有些企业从网上、书上或委托厂家找到安全标语,随意一贴,重点不突出。每个企业都有自身的发展历程和发展战略,宣传工作一定要紧跟公司的发展,不能一成不变。标语也是一样,要做到与时俱进,方能最大限度地发挥其警示作用。

(3)要注意人性化。一句口号能否深入人心、引起职工共鸣,不仅要看它是否道出了员工愿望,还要看如何表述出来。这里就涉及人性化的问题。选择标语时,要把关心人、理解人、尊重人、爱护人作为基本出发点,采取晓之以理、动之以情的方式方法,根据职工的心理和文化需求,增加安全生产标语的亲和力和感染力,避免居高临下式的空说教。

(二)安全目视管理要点

安全目视管理范围包括人员、工器具、设备、工艺、生产现场等,这项工作要精确到现场的各个方面。

1. 人员目视管理

(1)劳保着装。内部员工应按照规定着装;外来人员(参观、指导或学习人员等)和劳务队员工进入生产作业场所时,其着装应符合生产作业场所的安全要求,并与内部员工有所区别。

(2)安全帽。内部员工进入生产作业现场,应按规定佩戴按工种分颜色的安全帽;外来人员(参观、指导或学习人员等)和劳务队员工进入生产作业场所时也应佩戴安全帽。安全帽的颜色或局部标志应有别于内部员工。

(3)入厂许可证。所有人员进入固定生产作业区域时应经过安全培训,佩戴许可证。内部员工、劳务队员工及外来人员的入厂许可证的颜色和信息应有区别。内部员工、劳务队员工的入厂许可证上的信息可包括部门、姓名、岗位、编号以及本人照片;外来人员的入厂许可证应有编号。

(4)特种作业资格。从事特种作业的人员应具有有效的特种作业资格,并经公司内部岗位安全培训合格,佩戴具有特种作业资格的目视标签。该标签应有本人姓名、作业工种、特种作业资格证书的有效期等基本信息。标签应简单、易懂,不影响正常作业,员工应将其佩戴在醒目位置。

另外对从事进入有限空间、高处作业等的人员,应经过公司内部的岗位安全培训并合格,佩戴相应的目视标签。该标签应有本人姓名并佩戴在醒目位置。

2. 工器具目视管理

(1)脚手架。应用警示牌来标明脚手架的使用状态,具体执行《脚手架作业安全管理规范》。

(2)压缩气瓶。应使用外表面涂色、警示标签及状态标签对压缩气瓶进行目视管理,表面涂色和字样的相关要求具体执行《气瓶颜色标志》(GB 7144—2016);警示标签的有关要求具体执行《气瓶警示标签》(GB 16804—2011);同时应用状态标签标明气瓶的使用状态(满瓶、空瓶、使用中、故障)。

(3)其他工器具。除脚手架、压缩气瓶以外的其他工器具,应在其明显位置粘贴有检验日期、使用状态(合格、不合格)的标签,以确认该工器具合格。不合格、标签超期及未贴标签的工器具不得使用。所有工器具的使用者应在使用前再次进行目视检查。

3. 设备目视管理

(1)设备颜色。设备颜色标示的相关要求参照执行《油气田地面管线和设备涂色规范》(SY/T 0043—2006),企业应在设备的明显部位标注设备名称或编号。

(2)设备标志牌。企业应在设备明显位置设置标志牌,标志牌可包括设备基本信息、责任人以及使用状态等内容。对误操作可能造成严重危害的设备,应在设备旁悬挂注有安全操作注意事项的提示牌。

（3）控制按钮、开关。应在设备控制盘按钮及指示装置上标注其名称，外文名称应翻译成中文，或在明显位置标明中外文对照表。厂房或控制室内的电气按钮、开关都应标注控制对象。

（4）润滑器具。设备润滑器具应分类摆放。应在各类油品的加油桶、加油壶以及设备的加油点设置包括油品名称、牌号等基本信息的标志。

4. 工艺目视管理

（1）管线、阀门。管线、阀门的安全色或色环相关要求参照执行《管道的基本识别色、识别符号和安全标识》（GB 7231—2003）、《油气田地面管线和设备涂色规范》（SY/T 0043—2006）。应在管线上标明介质的名称、流向，在控制阀门上悬挂或粘贴显示工位号或编号、使用状态的耐用标签。

（2）仪表。企业应在就地指示仪表上标出仪表的工作范围，粘贴校验合格标签。对于远传仪表，应在现场悬挂显示工位号或编号的耐用标签。

（3）化学品器具。不同的化学品应分类摆放，应对盛装器具设置标志。标志应包括化学品名称、危害等级等基本信息。

5. 生产作业现场目视管理

（1）生产作业现场的标志

①生产作业现场安全标志的要求执行《安全标志及其使用导则》（GB 2894—2008）。

②应使用红、黄指示线区分固定生产作业区域的不同危险状况。红色指示线告知人们有危险，未经许可禁止进入；黄色指示线提醒人们有危险，进入时应注意。

③应在重要的生产作业区域设置巡检标志，标志应包括巡检路线、时间、内容等基本信息。

④废旧物资应分类存放并加以标示。

⑤应对消防通道、逃生通道、逃生设施设置标志，标志应清楚，便于识别。

⑥应将生产作业现场平台楼梯的第一和最后一级台阶标示为黄色安全色，且对不易区分高层楼梯的任何台阶处标示黄色安全色。应将移动式梯子最上面两个踏步标示为红色安全色，红色安全色表示禁止在该踏步上作业。设置安全色应考虑夜间环境。

（2）生产作业现场的隔离

①生产作业现场的隔离分为警告性隔离、保护性隔离。

②实施警告性隔离时，应用安全专用隔离带标示出隔离区域。安全专用隔离带固定在稳固立柱上并距离地面1.2 m。警告性隔离适用于临时性维修区域（如承包作业区域等）、安全隐患区域（如临时物品存放区域等）以及其他禁止人员随意进入的区域。

③实施保护性隔离时，应用围栏标示出隔离区域。围栏可使用木板或金属板等材料。保护性隔离适用于容易发生人员坠落、有毒有害物质喷溅、路面施工以及其他防止人员随意进入的区域。

④应用隔离挂签对安全专用隔离带、围栏进行标示。隔离挂签由隔离者挂在安全专用隔离带、围栏上，并注明隔离的原因与日期。隔离挂签分红色和黄色，红色表明未经批准禁止进入，黄色表明要谨慎查看安全状况后方可进入。

⑤设置的安全专用隔离带、围栏应在夜间也容易被识别出。隔离区域应尽量减少对外界的影响，对于喷溅、喷洒区域，应留出足够的空间。隔离应在危险消除后立刻拆除。

（3）定置管理

作业现场长期使用的机具、车辆（包括厂内机动车、特种车辆）、消防器材、急救设施等物件，应根据需要摆放在指定的安全位置。应对物件的摆放位置做出标示（可在周围画线或以文字标示），标示应与其对应的物件相符，并易于辨别。

问题思考

1. 简述船舶生产安全的含义与目标。
2. 简述船舶修造安全管理的含义与意义。
3. 船舶修造行业事故具有哪几个方面的特点？

安全培训PPT

危险源识别、评价与控制

事故预防

第二章　船舶修造安全作业技术

第一节　高处作业安全技术

在船舶修造过程中,高处作业随处可见,难以避免,危险性大,一旦发生事故,后果一般比较严重。高处作业事故的发生不仅与施工方法、施工管理、施工人员素质和状态有关,而且与施工作业环境、施工使用工具、施工作业的难度等相关。从船舶行业事故分析看,高处坠落事故占据各类伤亡事故的比例很大,严重威胁着施工作业人员的人身安全,因此,全面掌握和应用高处作业安全技术非常重要和必要。

一、高处作业基本概念

1. 高处作业

根据《高处作业分级》(GB/T 3608—2008)规定:凡在坠落高度基准面 2 m 以上(含 2 m)有可能坠落的高度进行的作业称为高处作业。

2. 坠落高度基准面

通过可能坠落范围内最低处的水平面称为坠落高度基准面。从大量坠落事故来看,坠落着落点不一定都在水平面内,有时是沟、洞、斜坡中的某一低部位。从这个意义上讲,当着落点在某一水平面上时,此水平面就是基准面。

3. 最低坠落着落点

在作业位置可能坠落到的最低点称为该作业位置的最低坠落着落点。确定高处作业时,须先确定坠落高度基准面。要确定坠落高度基准面,又必须先确定最低坠落着落点,坠落着落点的位置又与其可能坠落范围的半径 R 有关(以作业位置为圆心,R 为半径,所作的圆就是可能坠落的范围)。半径的大小与作业位置到其底部的垂直距离有关,也与坠落时的状态有关,因此做如下规定,其可能坠落范围半径 R,根据高处作业位置到其底部的垂直距离不同分别是:高度 H 为 2~5 m 时,半径 R 为 3 m;高度 H 为 5~15 m 时,半径 R 为 4 m;高度为 15~30 m 时,半径 R 为 5 m;高度 H 为 30 m 以上时,半径 R 为 6 m。

4. 高处作业高度

施工区各作业位置到相应坠落高度基准面之间的垂直距离中的最大值就是该施工区的高处作业高度。

二、高处作业安全技术要求

1. 作业人员要求

(1)高处作业人员必须是年满 18 周岁,经过本单位三级安全教育、安全技术培训和考核,具有高处作业安全基本知识的人员。

(2)属于特种作业的人员,必须经过特种作业人员培训,持有效特种作业人员操作证。

（3）高处作业人员必须按规定到具有资质的医疗机构进行体检,符合高处作业的健康标准。患有精神病、癫痫、高血压、心脏病等高处作业从业禁忌症的人员,不准参加高处作业。

2.施工前的准备

（1）熟悉作业环境,按规定穿戴好个人防护用品,从事水上高处作业时,必须穿救生衣。

（2）遇强风、暴雨、大雪等恶劣天气时,禁止高空作业。

（3）高空作业场所周围有下列危险因素而无防范措施的禁止安排高空作业:附近有高压电线;有毒、有害气体泄放;有高温蒸汽、烟气喷发的。

（4）施工作业前检查现场照明设施和光照度,在无照明设施或光线阴暗的情况下,严禁高处作业。

（5）检查脚手架是否符合要求,发现有隐患时,立即向管理人员报告。

（6）检查栏杆、绳索是否拉紧,高度是否达到使用规定要求。

（7）检查脚手板搁架（支架）的焊接是否良好,销子、卸扣是否插好;检查脚手板搁放、重叠长度是否达到要求,是否有防滑措施。

（8）如需搭设安全网,使用前需检查是否达到安全设计要求。

（9）检查作业场所周围的孔、洞、预留口等,是否已铺设好网、盖板、护栏、警告牌等安全设施,并注意现场四周的变化情况。

3.施工过程安全技术

（1）作业过程禁止如下行为:将扶手当梯攀上爬下,将物件搁在扶手上,把软管、焊线等挂放在扶手上。

（2）高处作业所用物件、材料等堆放应平稳,禁止抛掷。

（3）高处传、接物件时,应切实做到从手交到手。上下传递物件时,应采取有效措施,防止掉落。

（4）在脚手板上走动时,至少应用单手扶着扶手。同一块脚手板上不应超过2人站立。

（5）不应擅自拆除脚手架、栏杆、网、盖板等安全设施。如因工作原因确实需要进行临时拆除,应经过生产主管或安全员同意并由专业人员改动或拆除,并采取措施确保安全,工作完毕后应立即复原。

（6）明确作业人员的作业内容和作业顺序;协同作业必须指定现场负责人负责协调工作。

（7）立体交叉作业时,应先协调联系,明确落实安全措施和各有关作业人员的职责。

（8）多工种共同作业时,应服从现场指挥,步调一致。当接到管理、监督人员发出暂停作业指令时,应绝对服从。

（9）施工中,生产管理人员应及时了解作业进展情况、生产设备的使用状况及作业人员的操作行为等,如发现不安全因素,应及时纠正。

（10）工作结束时应做到工完、料清、场地净。

三、高处作业安全管理

1.从防护措施上遵循"四个必有"

"四个必有"即有洞必有盖;有边必有栏;洞边无盖无栏必有网;电梯口必有门联锁。

2. 从工艺纪律上要求"六不准"

"六不准"即不准往下乱抛物件;不准背向下扶梯;不准穿拖鞋、凉鞋、高跟鞋;不准嬉闹、睡觉;不准身体靠在临时扶手或栏杆上;不准在安全带未系牢时作业。

3. 从日常管理上强调"十不登高"

"十不登高"即患有禁忌症不登高;未经认可或审批不登高;未戴好安全帽、系好安全带不登高;脚手板、跳板、梯子不符合安全要求不登高;不攀爬脚手架或设备登高;穿易滑鞋、携带笨重物件不登高;蓬瓦上无垫脚板不登高;高压线旁无隔离措施不登高;酒后不登高;照明不足不登高。

第二节　脚手架作业安全技术

在船舶行业中,为登高作业搭设脚手架是主要方式。脚手架的搭设与拆除,以及所搭设的脚手架是否安全可靠都是重大危险源。稍不注意,就会出现事故,甚至造成人员伤亡,影响很大。因此,在脚手架的施工准备、搭设、使用、拆除以及运输、保管的全过程中,必须坚决贯彻"安全第一、预防为主、综合治理"的方针。采取切实可行的措施,消除隐患,防止和杜绝各种安全事故的发生。目前船厂常用脚手架有钢管脚手架、悬挂脚手架、简易脚手架等,其中梅花式钢管脚手架使用最广泛,具有代表性。下面对其安全技术要求进行阐述。

一、梅花式钢管脚手架的组成

脚手架系统主要由立杆、横杆、斜拉杆、可调底座、楼梯、踏板、踢脚板、三脚架、桁架、钢管和扣件等部件组成。梅花式钢管架按照标准、统一的规格设计,立杆采用套管承插连接,水平杆采用杆端扣接头卡入连接盘,用楔形插销连接,形成标准钢管脚手架,如图2-1所示。

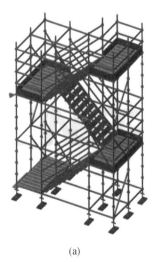  

　　　　(a)　　　　　　　　　　(b)　　　　　　　　　　(c)

图2-1　梅花式钢管架

主要构件如下:

(1)立杆:杆上焊接有连接盘和连接套管的竖向支撑杆件,是脚手架的主受力杆,一般立杆为2 100 mm,嵌入端为100 mm。

(2)连接盘:焊接于立杆上可扣接8个方向扣接头的八边形圆环形孔板。

(3)大横杆:指与作业面平行的长杆,与立杆连成整体,增强脚手架整体稳定性和安全性,梅花式脚手架大横杆长度为1 900 mm。

(4)小横杆:指与作业面垂直的短杆,与立杆连成整体,用于搭载脚手板并将脚手板上的重量传到立杆上,梅花式脚手架小横杆长度为1 000 mm。

(5)抛撑:指支点在脚手架外与宽度方向多个立杆斜交的支杆,与地面和作业面均成45°~60°夹角,增加脚手架横向稳定性,防止脚手架向外倾斜倾倒。

(6)扣接头:位于大小横杆端头,用于与立杆上的连接盘扣接的部位。

(7)插销:固定扣接头与连接盘的专用楔形部件。

二、脚手架材料要求

1.搭设脚手架使用的材料,必须符合《建筑施工承插型盘扣式钢管脚手架安全技术标准》(JGJ/T 231—2021)的要求,扣件应符合《钢管脚手架扣件》(GB/T 15831—2023)的要求。脚手架外观质量符合以下要求才可使用:

(1)钢管应无裂缝、凹陷、锈蚀,不得采用对接焊接钢管。

(2)钢管应平直,两端面应平整,不得有斜口、毛刺。

(3)铸件表面应光滑,不能有砂眼、缩孔、裂纹、浇冒口残余等缺陷,表面粘砂应清除干净。

(4)冲压件不得有毛刺、裂纹、氧化皮等缺陷。

(5)各焊缝应饱满,焊药应清理干净,不得有未焊透、夹渣、咬肉、裂纹等缺陷。

(6)扣件各部位不应有裂纹,扣件与钢管接触部位不应有氧化皮。

(7)扣件活动部位应灵活转动,扣件表面应进行防锈处理,油漆应均匀,不应有堆漆或露铁。

2.发现材料有以下情况之一时,脚手架材料不能使用:

(1)脚手板、钢网板有破损而未修复。

(2)插销损坏而未修复。

(3)脚手立杆、脚手板有弯曲存在而未修复或锈蚀严重。

3.发现有下列情况之一的应报废:

(1)脚手板严重扭曲变形。

(2)钢管严重损坏(破损直径达150 mm以上)。

(3)脚手板两边钢管有锐角,开焊200 mm以上。

(4)脚手立杆弯曲变形较严重无法修复或有裂纹。

(5)拉杆上的插销损坏且无法修复。

(6)脚手杆对接端口有裂纹、断裂。

三、作业人员要求

(1)年满18周岁,具有初中(含初中)以上文化程度。

（2）身体健康、无高处作业禁忌症（包括恐高症、心脏病、高血压、癫痫、精神病、梅尼埃病及肢体缺陷等）。

（3）从事搭设、拆除脚手架的作业人员必须经国家应急管理部门专业培训，考试合格，持证上岗。

（4）作业时必须按规定正确穿戴劳动防护用品（如佩戴安全帽、系安全带、穿防滑鞋等）。应佩带双肩双钩安全带，作业中始终保持一根安全带系挂在脚手架上进行防护。严禁穿硬底塑料鞋和带钉鞋作业。

四、脚手架搭设要求

（1）搭设脚手架时，必须有良好的灯光照明和通风，搭架队班长和安全员在施工作业前负责检查和确认。

（2）对于钢筋水泥地面或相当于其硬度的地面，可直接在其上搭设脚手架。在沙土面上搭设脚手架时，每根立杆与地面接触处要垫设不小于 150 mm×150 mm×8 mm 的钢板。

（3）搭架队应做好现场警戒，防止无关人员进入危险区域，落实专人看护后，方可进行搭设脚手架作业。五级以上大风不得进行搭拆架作业。

（4）脚手架搭设必须遵循从下至上的原则，下一层脚手架搭好后经自检合格后方可搭上一层并做好加固，确保其整体稳定性。严禁从中间搭起，以及未铺设踏板空当搭设。

（5）传递脚手架时，必须使用强度足够的绳索吊拉构件，并随时检查绳索的可靠性。孔、洞边要设置保护圆边，防止棱角边割断绳索造成物体高处坠落。不得随意抛扔物件。

（6）脚手架上铺设的脚手板，必须绑扎牢固且宽度不得小于两块标准板的宽度（600 mm），板与横杆之间用扣件连接或用强度足够的铁丝绑扎。脚手板铺设须严密、平整，不得漏铺留下孔洞，两块脚手架踏板之间的空隙不能超过 50 mm。脚手架与船体或构件的间距不得大于 300 mm。每个横杆与立杆连接处的插销都得压紧。

（7）舱内有槽型壁时，深度大于 500 mm 应搭设探桥板。探桥板伸出 400 mm 时，须加设小横杆，同时在槽型内做好内护栏，探桥板后部（外侧）须加设小横杆。探桥板必须固定在脚踏板上，固定点不得少于 4 个。

（8）斜坡处搭设的脚手架超过 3 层时，支撑点须用挡板。挡板要保证牢固，在离地面（舱底板）50～100 mm 处搭设横杆，使所备的斜杆连接，应根据斜坡大小搭设横杆，并用扣件固定。斜杆上部 50～100 mm 处应搭设一条横杆，使所备的斜杆连接后，方可搭设立杆，立杆必须用扣件搭设在横杆上。在斜坡处搭设 3 层及以下脚手架时，在相应高度使用 1 m 拉杆探桥搭设，底部须用长拉杆支撑短拉杆的端点，并用铁丝做好两端点处的绑扎。

（9）若因需要将脚手架立柱或钢管架设在脚手板上时，立柱钢管下要垫设规格不小于150 mm×150 mm×8 mm 的钢板，并要对该脚手板进行加固。

（10）每搭设完一层脚手架平台，相应的脚手板、内外护栏必须及时搭设到位，防止有高坠空当。供施工者工作的脚手架作业点必须至少搭设双层护栏，护栏间距为 500 mm。舱口围区域护栏应有相应的防坠物挡板，防止零部件等滚落舱底。

（11）脚手架搭设时，应采取与船体结构进行有效绑扎、增加搭设辅助架等形式增加脚手架的稳定性。

（12）高度达到 7 层（14 000 mm）及以上的脚手架搭设时，应在离地（基准面）4 m 处的辅助架上铺设阻燃型安全网。安全网的绑扎应牢固，应能保证人员从工作平台中坠落不直接坠落到基准面。

（13）搭设合格的脚手架要保证合理的平衡度、垂直度，做到平稳、牢固，不允许有晃动。设置安全、可靠的上下梯。按规定在临边位置拉好安全网并绑扎牢固、可靠。

五、脚手架验收要求

（1）搭设完成的脚手架经过搭架队班长检查确认安全、合格后，向使用单位及安全技术部门提出验收申请。

（2）接到验收申请后，使用单位及安全技术部门对脚手架搭设安全要求进行检查确认。

（3）经验收合格后，由搭架队将原"禁止使用"牌替换为"合格牌"，脚手架合格牌上应标注脚手架搭设单位、使用单位、检验人及检验日期等信息。严禁使用未经报验合格的脚手架或未挂设任何告示牌的脚手架。

（4）二次使用的脚手架（整改后的脚手架）使用前，由使用单位、安全技术部门进行检查，发现不符合规范要求的，通知搭架队整改，直至符合安全使用要求。

六、脚手架的使用要求

（1）经检验合格的脚手架，非搭架专业人员严禁随意拆除破坏或改动，确因工程需要改动脚手架的，必须由搭架专业人员落实整改。

（2）遇有强风、大雨等恶劣天气或地震时，应临时停止脚手架上的施工，损坏的脚手架应重新进行修复和检验。

（3）不得超负荷使用脚手架，负载按 270 kg/m² 计算，严禁长时间将超过 200 kg 的物件放置在脚手架上。严禁在脚手架上悬挂起重设备。

（4）脚手架使用人员上架作业必须挂好安全带，安全带必须高挂低用，并挂于能承受自己坠落时重量的牢靠部位。携带小件工具或物件上脚手架作业时，应使用桶装或工具袋装，严禁随意将小物件放置在作业面临边处。

（5）严禁将钢板及材料放在脚手架作业面或材料上切割或焊接，以防破坏脚手架。

（6）脚手架使用单位必须每个作业班次对脚手架作业面的边角余料、物件进行清理，严禁随意抛扔物件，以免造成物体撞击。

（7）原则上严禁上下两层脚手架上同时有人员进行施工作业。如有同时施工情况的，应同时停止施工，经项目主管协调后安排一方作业，杜绝交叉作业。

（8）使用脚手架时，禁止将任何物件放置于挂设的安全网上，更不允许将割下的边角余料任意丢在安全网上。禁止随意解除挂设的安全网。

（9）脚手架使用单位现场主管（或班长）为脚手架使用责任人，每天必须负责对使用过程的脚手架进行检查、监督，确保脚手架使用安全。检查内容包括：脚手架不被恶意破坏；脚手架不被随意拆除；脚手架作业面不被重物轧压；脚手架警示牌完好。

（10）脚手架必须挂信息牌使用，信息牌包含：搭架人、验收人、验收日期、每周安全检查记录等合格牌。

七、脚手架检查要求

应定期安排专人对现场搭设的脚手架进行复检，张贴复检合格标识，并做好检查记录，

及时做好脚手架的修复及加固工作,消除不安全因素。检查要点如下:

(1)检查脚手架各连接部位及钢网板的固定情况。

(2)检查脚手架的防护栏杆、上下通道梯子和安全网的状态。

(3)检查使用者是否有擅自拆卸、超载和破坏脚手架现象。

(4)检查是否有其他不安全因素和隐患。

八、脚手架拆除要求

(1)脚手架拆除前,要到现场勘察脚手架的状态,根据具体作业条件,落实相应的防护措施后才能开始拆除作业。

(2)拆除脚手架时,应划定作业区域范围,设专人现场指挥、监护,并设置警示标志,阻止无关人员进入施工场所。拆除6层及以上脚手架时,搭架队班长要对拆架作业人员进行书面的安全技术交底。

(3)脚手架拆除时应遵从拆架顺序,一般从上到下,先搭后拆,后搭先拆。应一层一层依次拆除,不得上下同时进行拆除作业,抛撑杆应留在最后拆除,以确保脚手架的整体稳定和作业人员安全。

(4)当脚手架采取分段、分立面拆除时,对不拆除的脚手架两端,应首先按要求设置加固防护措施。

(5)在拆除过程中,作业人员有更换的,搭架队班长应对其进行相应的安全知识交底,并做好记录。

(6)拆除脚手架时,要统一指挥,上下响应,动作协调,拆除的脚手架材料应及时传递下架,严禁摆放在架子上,防止坠落。舱内拆架时应采取有效措施防止各类物件坠落舱底。

(7)对已损坏或结构不稳定的脚手架,要先采取辅助支撑后方可作业。

(8)拆除密闭舱室内的脚手架,应及时清理出舱,严禁堆放在舱内,出舱的材料应堆放整齐。

(9)拆后运到地面的脚手架材料,包括配(构)件,应由搭架队及时安排人员检查、整修与保养,并按品种、规格随时码堆存放。

(10)脚手架拆除完毕后,要及时清理,整顿现场,做好现场"6S"管理。

九、安全网拉设要求

(1)现场使用的安全网应为阻燃式安全网,宽度不应小于3 m,长度不应大于6 m,网眼大小为50~100 mm。不得使用损坏或腐朽的安全网。

(2)安全网要安排专人保管,使用完后的安全网,应及时收回并晾干后保存,以备下次使用。

(3)在挂设安全网时,必须系好安全带。安全网上的每根系绳都应与支架系结,四周边绳(边缘)应与支架贴紧,系结应满足打结方便的原则,连接牢固又容易解开,挂设符合安全使用要求。

(4)脚手架与安全网配合使用要求。脚手架与安全网在保护登高作业人员安全方面都起到了积极的作用,但其单独使用却存在一些不足,因此,在船舶修造施工现场,脚手架与安全网配合使用才可以取长补短,进一步完善现场的安全设施。安全网与脚手架的配合使用应遵循以下规则：

①有梯必有网。受各种气候条件(如雨雪天气等)的影响,作业人员在登高作业时,容易从梯子空当滑落,因此在架设登高梯子时,应在斜梯下方拉设安全网。安全网的拉设范围应覆盖登高工作人员可能坠落的区域,防止人员高空坠落和物件坠落伤人。

②临边洞口无法安装栏杆、洞盖的,应安装安全网。

③使用脚手架时,禁止将任何物件放置于挂设的安全网上。

第三节　电气作业安全技术

一、安全用电基础

1. 电的分类

在船舶修造生产活动中接触的电主要有直流电、交流电、静电、雷电,此外还有感应电、冲击电和特种波形电流。其中交流电是我们生产活动中的主要动能,如使用、防护不当也是发生触电事故最多的电。交流电的电流方向和大小随时间做周期性的变化,家用电器及修造船用的电就是交流电,频率是 50 Hz。交流电用 AC 表示。直流电的电流方向不随时间变化,有固定的正负极,如蓄电池、干电池、手机电池及各种整流电源。直流电用 DC 表示。交流电与直流电的比较如表 2-1 所示。

表 2-1　交流电与直流电的比较

项目		交流电	直流电
相同点		1.电流做功的方式一样; 2.电的物理量表示方法一样,使用电压 U、电流 I、功率 P; 3.物理量之间计算方法一样	
不同点	电流方向	随时间做周期性变化	不随时间变化
	电压升降	通过变压器很方便地进行电压升降	通过复杂电子电路进行电压升降
	电源串、并联使用	普通发电机不能进行串、并联使用,只能单独使用	电池间可以很方便地进行串、并联使用
	供电方式	通过电缆或电线由发电机或市电网供电,供电结构复杂,使用上不方便,受地理位置等影响较大	由蓄电池、干电池直接给用电器供电,使用上相当方便,不受地理位置影响
	经济成本	成本较低,电量充足	成本较高,电量受限

2. 电流对人体的影响

电流流过人体时,会对人体产生热效应、化学效应及刺激作用等生物效应。通过人体的电流越大,时间越长,人的感觉越强烈,对人体的伤害也越大。当工频频率为 50 Hz 时,流过人体的电流不得超过 10 mA,照明安全规定 10 mA 为安全电流。如果通过人体的交流电流超过 20 mA 或直流电流超过 80 mA,就会使人感觉麻痛或剧痛,呼吸困难,自己不能摆脱电源时,会有生命危险。当有 100 mA 以上的工频电流通过人体时,人在很短的时间里就会窒息,心脏停止跳动,失去知觉,出现生命危险。

3. 特低电压

根据国家《特低电压(ELV)限值》(CB/T 3805—2008),所谓特低电压,是指人体在正常和故障两种状态下使用各种电气设备,并处于各种环境状态下可触及导电零件的电压限值。我国规定的最新最严的特低电压限值为交流 50 V、直流 120 V,在小于限值的前提下,则可以分为 48 V、42 V、36 V、24 V、12 V、6 V 等多个额定电压。

4. 电气作业人员要求

(1)身体健康,经体检无妨碍电气作业的疾病,如视觉/听觉障碍、高/低血压、心脏病、癫痫等。

(2)年满 18 周岁,具有一定的电工基础理论、专业技术知识和实践经验。

(3)经过专业安全技术培训,熟悉电气安全工作的规章制度,学会电气火灾的扑救方法,掌握触电急救技能,经考试合格持证操作。已持证操作的电气工人,必须定期进行安全技术复训和考核,不断提高安全技术水平。

(4)严格遵守电气作业操作规程,按规定佩戴绝缘防护用具。

二、电气安全操作规程

科学、严密、切实可行的电气安全操作规程是确保电气设备正常运行和保护作业人员生命安全的重要措施,是人们在长期的生产实践活动中用鲜血和生命换来的一次又一次的教训,用智慧总结出来的一系列电气安全作业规程必须坚决贯彻执行。

1. 倒闸操作安全规程

倒闸操作是指合上或断开开关、闸刀和熔断器以及与此有关的操作。违反倒闸操作规程,轻则送错电或停错电,重则引起电弧短路,造成设备和人身伤害事故。倒闸操作应根据主管领导命令、按倒闸操作工作票顺序,由专职电工操作。倒闸操作的基本程序是切断电源时先拉脱开关,后拉脱闸刀;合上电源时,先合上闸刀,后合上开关。严禁带负荷拉合闸刀。复杂的倒闸操作应一人监护,一人操作,还要实行"二点一等再执行"的操作方法,即操作人员先指点铭牌,再指点操作设备,等监护人核对无误发出执行命令后再操作。

2. 临时用电装置安全规程

临时用电装置是指因生产或生活急需而装设的用电设备和电气线路。由于使用时间短,所以容易造成临时用电时不按规范装接,再加上有的临时施工现场环境差、乱,更易造成电线破损、漏电,引起触电事故和其他用电事故。

临时用电线路应严格管理,装设须经有关部门审核批准,使用中须派专人负责,定期检查,用电完毕立即拆除。临时线路使用期限一般不超过 3 个月。临时线路布置应满足基本安全要求,导线规格、线路长度、安装高度、接地、接零等都应符合有关规定。在露天装设的临时用电装置应有防雨措施。若遇大风、暴雨等特殊情况,必要时应切断电源,待风雨过后经检查确认无问题后方可恢复送电。

3. 移动电具安全规程

移动电具是指无固定装置地点的无固定操作工人的生产设备和移动工具,如电焊机、电钻、手提磨光机、电风扇等。移动电具因经常搬动容易损坏,又因与人体接触较多,如管理使用不当极易造成触电事故。

移动电具应专人保管,定期检查。公用移动电具应有严格的借用制度,并应保证出借的电动工具完好。

移动电具引出线规格、长度、接地接零及绝缘电阻均应符合有关规定。除了额定电压为 50 V 以下安全电压,或有绝缘外壳、绝缘手柄及装有 1:1 双线圈隔离变压器的移动电具外,手持式移动电具在使用时应戴绝缘手套,穿绝缘靴或站在绝缘垫上。

使用过程中搬动移动电具时,应停止工作,断开电源。

4. 停电检修工作制度

停电检修工作是指电气设备、电气线路在断电条件下的检修工作应是在停电时进行的。因此停电检修工作必须保证断电彻底,且工作过程中绝不允许出现错送电情况。

停电检修工作的基本顺序是先停电并做好防止误合闸措施,挂"有人操作,禁止合闸"警告牌,对电力电容器、电缆线的残存电荷放电、验电,证实无电后对可能来电的地方加装携带型接地线。工作完毕后拆除携带型接地线并检查无误后按顺序送电,同时拆除开关、闸刀操作手柄上的停电警告牌。

5. 不停电工作安全规程

不停电工作是指在带电设备、带电体附近,或在带电设备上进行检修工作。带电工作由于危险性较大,因此在能够停电情况下,一般应停电进行。

不停电工作必须严格执行监护制度,由经过训练的能熟练掌握不停电检修技术的电工执行,并委派有经验的电工专人监护。所使用的工具应经过检查和试验。

不停电工作时,工作人员应严格穿戴绝缘防护用品,必须保证足够的安全距离,工作人员应精力集中,工作时间不宜过长。

6. 工作票制度

在高压或较危险的电气设备和线路上进行电工作业,为了确保检修工作的正常进行和施工安全。不论是停电还是不停电工作,均须建立工作票制度。根据不同的检修任务、不同的设备条件以及不同的岗位机构,可选用或制定适当格式的工作票。

工作票应由分管安全生产的直接责任人签发,要明确所有应采取的安全措施。工作负责人应在工作票上填写检修项目、计划工作时间等有关内容。工作许可人应按工作票要求和工作负责人一起检查停电范围和安全措施,进行工作现场移交,双方签名后才许可工作。在检修过程中,工作人员应明确工作任务、工作范围、安全措施等,严格按要求作业,工作负责人必须始终在工作现场负责监护,随时提醒工作人员注意安全。工作结束并清理完现场后,工作负责人应将工作票交给工作许可人,双方核查并签名后才算检修工作结束。

三、船舶修造安全用电要求

在船舶建造与修理过程中,用电安全问题尤为突出。在船舱中工作,就像在金属容器中工作一样危险,特别是夏天,人体出汗多,人体电阻降低,危险就较大。同时在船舶修造过程中,临时用电设施、移动电具使用较多,露天作业,有时甚至是雨天作业也较多,因此更需要根据修造船舶的用电特点,加强安全用电措施。

(1)在修理、建造的船舶上,所使用的电气设备应放置在安全的地方,其电源线应绝缘良好,不能有破损裸露的地方。装设时应尽量架空固定,特别要注意避免余料钢板、钢管的损压。在阴雨连绵的夏季,露天放置的电气设备应有防雨设施,并且要便于检修。

(2)在船坞中、码头旁修造的船舶上,船体与电网的接零干线要有良好的电气连接。所使用电缆软线的截面积应与使用设备的电流相适应,有一定的机械强度,并应考虑涨落潮时的长度余量。

(3)保持电气开关箱、柜清洁,开关箱、柜内及前后左右不得堆放杂物,尤其是易燃物品。

(4)船舶上所使用的照明不得任意挪动,如果工作地点照度不够,应使用电压为36 V及以下灯具作为行灯照明。禁止使用电压为110 V、220 V的灯具作为移动手提行灯照明。

(5)船舶上的一切电器修理工作,必须在船方有关人员认可后才能停车停电。船舶修理期间,船方启动任何电气设备都应预先与厂方工程主管协调联系,避免发生意外。从机舱内、居住室内等处拆下的照明灯具、开关、电动机等,其接线头都要分别用绝缘包布包扎好。

(6)在修的船舶上,最好都采用特低电压供电的Ⅲ类手持电动工具。当使用Ⅰ类手持电动工具时,必须加装漏电保护器,使用人员须穿戴绝缘手套和绝缘靴。狭小舱室必须使用Ⅱ类、Ⅲ类手持电动工具。使用Ⅱ类手持电动工具也应加装漏电保护器,手持电动工具在使用前应该检查其电源线和插头是否完好,保护零线是否接上,接线是否正确,开关、外壳、手柄是否灵活、完好,发现问题须及时修理或更换。

(7)使用电焊机时,焊机及接线必须完好,焊钳手柄必须绝缘良好。在暂时休息或更换焊条时,身体不能靠在船体上,焊线也不能搭在身体上,以防止焊机空载电压引起触电事故。

(8)在进行涂装作业的舱室内必须使用相应等级的防爆电气设备,通风机及涂装设备均应可靠接地。涂装作业人员必须穿着防静电工作服,不能穿着化纤服装,不能穿着带铁钉的皮鞋。

(9)船舶发电机在调试时,所使用的水电组(也称盐水缸)和电抗器的外壳应可靠接地。水电阻和电抗器周围1.5 m要拉设警戒线并悬挂"有电危险""严禁无关人员进入"等警示牌。发电机调试时,水电阻和电抗器外要有专人值班。在没有防雨设施时,雨天不要使用水电阻和电抗器调试发电机。

(10)船舶在试航前,给油箱、油柜加油时,为防止产生静电,加油所使用的设备必须可靠接地、接零。

四、电气作业安全措施结构图(图2-2)

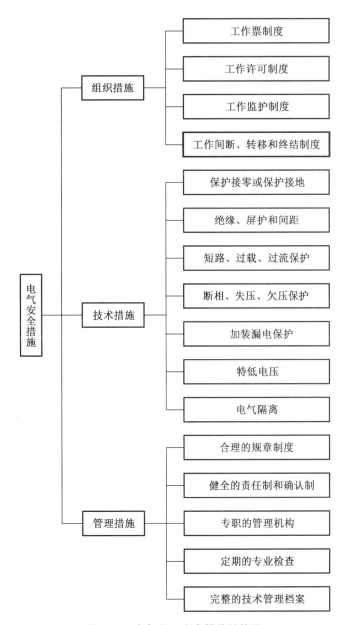

图 2-2　电气作业安全措施结构图

第四节　焊接与切割作业安全技术

焊接与切割作业在船舶修造中施工面广,工作量大,危险程度高,作业环境相对恶劣。诸多不安全因素容易使施工人员受到火灾、爆炸、烧伤、中毒、触电和高空坠落等事故的威胁。从统计资料中来看,几乎每一个船舶企业都发生过由于焊接与切割作业而引起的燃爆或烧(灼)伤事故,甚至有可能发生较大或重大事故。这些主要是制度不完善、管理不严格、操作不规范、思想不重视等因素所造成的。焊接和切割作业的安全是船舶工业安全生产的重要组成部分,做好焊接和切割作业的安全管理工作具有十分重要的意义。

一、明火作业"十不"原则

(1)未经培训合格,未持有效特种作业操作证的气焊、气割、电焊工不能从事气焊、气割和电焊作业。

(2)在禁火区域内、重点要害部位及重要场所,未经消防和安全部门批准,未做好安全措施不能进行焊割作业。

(3)不了解焊割地点内部和周围情况(如是否能动用明火,有无易燃易爆物品等)不能进行焊割作业。

(4)不了解焊割物内部是否有易燃易爆危险品,不能进行焊割作业。

(5)盛装过易燃易爆物的容器(如钢瓶、油箱、油管、贮罐等),未经彻底清洗和测爆合格不能进行焊割作业。

(6)有压力或密封的导管、容器等不能进行焊割作业。

(7)涂装、油漆后未经测爆合格的舱室不能进行焊割作业。

(8)用可燃材料(如塑料、软木等)作保温隔热层的部位或火星能飞溅到的地方,在未经采取切实可行的安全措施之前不能进行焊割作业。

(9)焊接地点附近还有易燃易爆物品未清理或未采取有效的安全措施,或附近存在与明火作业相抵触的工作(如油漆、喷涂等)不能进行焊割作业。

(10)在容器或有限空间内作业,没有事先经通风测爆测氧合格、施工审批、安排双人监护,不能进行焊割作业。

二、气焊与气割安全技术

(一)气焊与气割作业

气焊是利用可燃气体(主要是乙炔)在纯氧中燃烧,使焊丝和母材接头处熔化,从而形成焊缝的一种焊接方法。气割是利用可燃气体(乙炔或液化石油气)在纯氧中燃烧,使金属在高温下达到燃点,然后借助氧气流剧烈燃烧,并在气流作用下吹出熔渣,从而将金属分离开的一种加工方法。气割枪、气焊枪分别如图2-3、图2-4所示。

(二)气焊与气割的安全特点

气焊与气割的主要危险是火灾和爆炸,因此,防火、防爆是保证气焊与气割安全进行的主要任务。

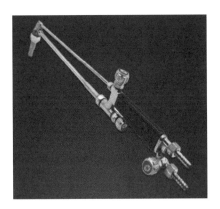

图2-3　气割枪

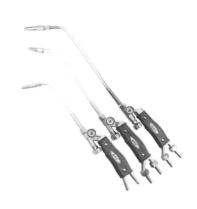

图2-4　气焊枪

气焊与气割所使用的乙炔、液化石油气、氢气等都是易燃易爆气体;氧气瓶、乙炔瓶、液化石油气瓶和乙炔发生器及其输气管道均属于压力容器。而在焊接燃料容器和管道时,还会遇到其他许多易燃易爆气体和各种压力容器,同时又使用明火。若焊接设备和安全装置有故障,或者操作者违反操作规程进行作业等,都有可能发生爆炸和火灾事故。另外,在气割时,氧气射流的喷射,使熔珠和铁渣四处飞溅,也容易造成灼烫事故。而且较大的熔珠在氧气射流的作用下会飞到离作业点5 m甚至更远的地方,引燃易燃易爆物品,造成火灾和爆炸。气焊与气割时火焰的温度可以达到3 200 ℃以上,这会使很多金属在高温作用下产生金属蒸气。气焊时使用的焊剂、有色金属中的微量有毒金属,被焊容器中的残留物质等都会在作业区周围形成有毒蒸气,这些因素都会对焊工的健康造成危害。

（三）气焊与气割安全操作技术

1. 作业前准备

（1）作业人员必须持特种作业操作证上岗。新员工须在带教师傅的指导下进行作业,不允许单独作业。

（2）检查减压表、回火装置、焊具、胶管是否完好,阀门及紧固件应紧固牢靠,不能松动漏气。

（3）对工作现场环境进行检查和清理,清除易燃物。新胶管在使用前应吹净里面的防粘粉末,并按规定颜色标记使用。胶管接头要用卡箍扎紧,压力表要按规定定期送检。

（4）检查个人劳动防护用品是否符合要求。

2. 作业过程安全技术

（1）遵守明火作业"十不"原则。

（2）胶管与气鼓连接牢靠,不能松动漏气,胶管要按定置管理规定摆放好。

（3）作业过程中要经常检查胶管接头是否泄漏,如有泄漏应马上修复。

（4）船上和危险区域施焊,要严格执行三级动火作业安全管理规定,履行审批手续;进入有限空间作业须执行双人监护制度,作业前必须经通风测爆测氧合格后,经审批后才能进入施工。

（5）严禁在涂装、油漆后未经测爆合格的舱室作业,严禁对带压容器焊割作业。

（6）在密闭容器及舱室等狭窄位置作业,若中途离开现场必须将胶管带出舱外。

（7）禁止使用焊割具的火焰作照明,严禁使用氧气作通风气源和吹凉气体。

（8）燃着的割炬不能随意放在工件上或地上。工作停止必须关紧割具阀门,并且不能将割炬放置在容器内或平台下。

（9）新员工须在带教师傅的指导下进行作业,不允许单独作业;两人操作时,应互相配合,协调一致。

（10）高处作业时要系好安全带并注意防止火花掉下造成危害。

（11）在检查设备附件和管系是否泄漏时,只能用肥皂水试漏,试漏时周围不准有明火。

（12）气焊时遇到突然回火,应立即关闭混合气体(慢风)的开关,然后再关氧气和乙炔的开关,待冷却后再开少量混合气体,将里面的烟灰排出,然后重新点火。

（13）作业结束后要关闭气体、电源,拆除胶管,确保无遗留火种和其他隐患。

三、电焊作业安全技术

（一）焊接的基本原理

焊接就是通过热加工或加压,或两者并用,并且使用或不使用填充材料,使工件达到结合的方法。为了获得牢固的结合,在焊接过程中必须使被焊件彼此接近到原子间的力能够相互作用的程度。为此,在焊接过程中必须对需要结合的地方通过加热使之熔化,或者通过加压(或者先加热到塑性状态后再加压),使之形成原子间或分子间的结合与扩散,从而达到不可拆卸的连接。

熔化焊是船舶修造中使用最广泛的焊接方式。所谓熔化焊就是利用局部加热的方法将连接处的金属加热至熔化状态而完成的焊接方法。在加热条件下,增强了金属原子的动能,促使原子间的相互扩散,当被焊接金属加热至熔化状态形成液态熔池时,原子间可以充分扩散和紧密接触,因此冷却凝固后,即可形成牢固的焊接接头。常见的气焊、电弧焊、电渣焊、气体保护焊、等离子弧焊等都属于熔化焊的范围。

（二）手工焊

图 2-5 手工焊机

手工焊设备简单(图2-5),焊钳轻巧,使用灵活。手工焊操作技术易于掌握,既适用于室内定点作业,又便于野外流动作业及高空作业,广泛应用于黑色金属和有色金属焊接,在船舶行业中也被普遍应用。

1. 作业前准备

（1）作业人员必须持特种作业操作证上岗。新员工须在带教师傅的指导下进行作业,不允许单独作业。

（2）工作前应认真检查工具、设备是否完好,焊机的外壳是否有可靠的接地。

（3）对工作现场环境进行检查和清理,清除易燃物,确认正常方可开始工作。

（4）检查个人劳动防护用品是否完好有效。

2.作业过程安全技术

（1）遵守明火作业"十不"原则。

（2）焊线要保持绝缘,要经常检查、保养焊钳和电焊线,发现有损坏应及时修好或更换,焊接过程发现短路现象应先关好电焊机,再寻找短路原因,防止焊机烧坏。

（3）焊机接地线要牢靠安全,不准用脚手架、钢丝绳、管道、路轨、机床等作接地线,工作回线不准接照明电线。

（4）工作时应选用合适的防护面罩,根据电流大小和个人的具体情况选用护目玻璃,以防止飞溅金属、弧光伤目。在室内和人多场所工作时,应使用屏风遮光挡板,以防周围人员受弧光伤害。

（5）更换焊条时必须佩戴防护皮手套,身体不可直接触及焊钳与工件,避免遭到电击;中途休息或暂停焊接作业时,应将焊条从焊钳取下。

（6）敲渣皮时,要戴防护眼镜,注意飞溅伤人。若与其他工种协作配合,还应防止意外伤害。

（7）在潮湿地点进行焊接工作时,应站在绝缘胶板或木板上。

（8）在靠近易燃地点焊接时,要有严格的防火措施,必要时须经安全员同意方可工作。焊接完毕应认真检查,确认无火源后才能离开工作场地。

（9）在船上和危险区域施焊,要严格执行三级动火作业安全管理规定,履行审批手续;进入有限空间作业应执行双人监护制度,作业前必须经通风测爆测氧合格后,经审批后才能进入施工阶段。

（10）严禁在涂装、油漆后未经测爆合格的舱室作业,严禁对带压容器焊割作业。

（11）焊接密封容器、管子应先开好放气孔。修补已装过油的容器,应先清洗干净,打开人孔盖或放气孔,才能进行焊接。

（12）在舱室内焊接,应注意通风,把有害烟尘排出,以防中毒。在狭小舱室内焊接应有两人,一人施焊一人监护,以防发生人员触电、中毒窒息等事故。

（13）船已安装隔热,应经看船员同意,做好防护措施后才能施工作业。

（14）高处作业时要系好安全带并注意防止火花掉下造成危害。

（15）作业结束后要关闭电源,断掉焊钳线接头,确保无遗留火种和其他隐患。

（三）埋弧焊

1.埋弧焊基本知识

埋弧焊又称焊剂层下电弧焊,是利用自由电弧在焊剂层保护作用下熔化焊丝与焊件金属,而形成焊接接头的一种金属加工方法。埋弧焊的电极直接采用裸焊丝,电弧用焊剂覆盖保护。焊剂一般是细颗粒状的,焊接前将其堆放在所需焊接位置。埋弧自动焊是指焊丝向熔池的输送及焊丝沿焊缝的运行都是自动进行的,因而将焊丝盘装在小车上,小车有可调的驱动机构,并与焊接情况相适应。埋弧焊机如图2-6所示。

在自动焊中,由于没有焊药及焊丝导电,距离较短,所以它的电流密度比手工焊大大提高,从而加深熔池,提高了生产效率和质量。目前在船舶行业,钢板的对接中已开始大量采用单面焊双面成形的焊接方法。采用此方法时,在焊缝反面的成形一般采用强迫成形方法。目前采用的方法有铜垫法、焊剂垫法、热固化焊剂垫法及其联合作用等。

图2-6　埋弧焊机

2. 埋弧焊安全操作要点

（1）作业人员必须持特种作业操作证上岗。新员工须在带教师傅的指导下进行作业，不允许单独作业。

（2）操作者应懂得埋弧焊原理及焊接设备性能，掌握操作技术及有关附件设备设施的安全使用方法。

（3）操作前，作业者应穿戴好个人防护用品。敲渣皮时，要注意别飞溅伤人。同时应避免弧光射伤眼睛。

（4）应注意检查焊机各部分导线的连接是否良好，自动焊机的轮子应有良好的绝缘。焊接设备应有可靠的接地（零）保护。

（5）控制箱的外壳和接线板上的罩壳必须盖好，以免发生事故。

（6）在工作中要防止焊机突然停止而发生弧光伤眼事故，并应随时理顺电缆防止烧坏。

（7）焊接时会产生一定量的有害气体，应确保作业场所通风良好。

（8）当焊机发生故障时，应立即将焊机电源切断，然后由维修人员及时处理。

（9）工作完毕或临时离开作业场所时，必须切断焊接电源，并将设备放置妥当。

（四）气体保护焊

气体保护焊是利用电弧作热源，气体作介质的熔化焊，或称气电焊。气体保护介质有氩气、氮气、氢气和二氧化碳等。在焊接过程中，用气体氛围保护代替药剂造渣保护，防止有害气体进入熔滴和熔池，促进电弧热量集中，燃烧稳定。气体保护焊也是电弧焊的一种，它的电弧是在外加的气体流保护下进行燃烧的。常用的气体保护焊有氩弧焊与二氧化碳气体保护焊两种。氩弧焊机、二氧化碳气体保护焊机如图2-7、图2-8所示。

1. 氩弧焊

氩弧焊是以惰性气体氩气作为保护气体的一种直接电弧熔焊方法，是在电弧的周围通过喷嘴喷出氩气，在电弧及焊接熔池周围形成连续封闭的气流，保护钨极及焊丝和焊接部位不被氧化或发生其他有害作用。氩气是惰性气体，不熔于金属，也不与金属发生作用，所以焊接质量较高。它适用于高强度合金钢和有色金属的焊接。氩弧焊按电极的不同分为熔化电极（金属极）和非熔化电极（钨极）两大类。

图 2-7 氩弧焊机

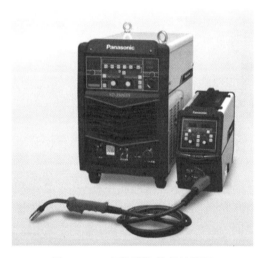

图 2-8 二氧化碳气体保护焊机

2. 二氧化碳气体保护焊

这是用二氧化碳作为保护气体的一种熔化极气电焊,依靠焊丝与焊件之间产生的电弧熔化金属的一种熔化极气电焊。二氧化碳是一种氧化性气体,为了保证焊缝质量,必须使焊丝内含有脱氧性能好的元素,如锰、硅、钛等。二氧化碳的成本较低,生产效率较高,二氧化碳气体保护焊工效比手工电弧焊提高 1~3 倍,焊缝质量较高,只要配以适当的焊丝,就能用于不同的焊接位置。

在设备、场所的安全方面,二氧化碳气体保护焊与氩弧焊基本相同。但要注意二氧化碳预热器的安全使用:工作前,应提前 15 min 给二氧化碳预热器送电。工作结束时,一定要将二氧化碳预热器的电源切断。开启瓶阀时,应站在阀口的侧面。并注意防止焊丝甩出伤人,更为重要的是要防止触电伤害。

3.气电焊安全操作要点

（1）遵守明火作业"十不"原则。

（2）作业人员必须持特种作业操作证上岗。新员工须在带教师傅的指导下进行作业，不允许单独作业。

（3）气电焊电弧强烈，为了防止强紫外线对眼和皮肤的伤害，工作时要戴防护皮手套及面罩，穿白色工作服，并扣好纽扣，尽可能不要裸露皮肤。

（4）必须了解焊机构造原理，熟悉其机械、电气系统，熟悉电源箱和操作盘上的各种开关、旋钮的功能，了解焊机的主要技术参数、操作程序和使用注意事项。开始做业务前要检查焊接电源、控制系统的接地（零）是否安全可靠，将设备进行空载试运行，确认其电路、水路、气路畅通，设备正常时方可正常作业。

（5）对工作现场环境进行检查和清理，清除易燃物。机器上和机器周围不准堆放导电物品。

（6）各种气瓶不能在太阳下曝晒，立放必须有支架，并远离明火3 m以上；气瓶预热可使用蒸汽、热气，严禁使用明火烘烤。

（7）安装气表时要十分注意，必须将表母和瓶嘴丝扣拧紧（至少5扣）。开气时身体、头部严禁对准气表和气瓶节门，以防气表和节门打开伤人。

（8）氩弧焊中的臭氧和氮氧化物，二氧化碳气体保护焊中的一氧化碳、二氧化碳浓度较大，工作中应开动通风排毒设备。通风装置失效时，应停止工作。严格控制连续操作时间，连续工作不得超过6小时。

（9）在密闭容器及舱室等狭窄位置作业时，应保持空气流通，佩戴好防护口罩，并设专人监护、配合，中途离开现场必须将胶管带出舱外。

（10）在船上和危险区域动火，要严格执行三级动火作业安全管理规定，履行审批手续；进入有限空间作业时执行双人监护制度，作业前必须经通风、测爆测氧合格，并经审批后才能进入施工阶段。

（11）严禁在涂装、油漆后未经测爆合格的舱室作业，严禁对带压容器施焊作业。

（12）高处作业时要系好安全带并注意防止火花掉下造成危害。

（13）当设备发生故障时，应立即将焊机电源切断，然后由维修人员处理；需要更换钍钨、铈钨时，应先切断电源；移动焊机时必须切断总电源后方可进行，严禁带电移动焊机。

（14）工作结束后，要切断电源，关闭冷却水和气瓶阀门，扑灭残余火种。

第五节　起重作业安全技术

一、起重作业概述

（一）起重作业概念及其在船舶修造中的作用

起重作业是指运用各种起重吊运工具、设备或借助人力的搬运，将物体吊起或举起，再运输、放置到预定位置的过程。在船舶生产活动中，每天都有数万吨钢材、中间产品及配套产品经过起重作业这一方式来周转、配送，完成起重作业的机械称为起重机械。随着现代船舶修造技术的发展，起重机械不仅使用数量多、种类多、范围广，而且吨位大。起重机械是实现船舶修造过程机械化、自动化、智能化,减轻体力劳动,提高生产效率的重要手段,所以成为组织大批量生产和流水作业工艺过程的重要基础设备。因此,必须了解和熟悉起重机械的结构、性能,掌握相关的安全操作技术和规程,做好防护措施,才能确保起重机作业安全和起重任务顺利完成。

(二)船舶修造常用起重机械

1. 常用起重机械种类

起重机械一般分为轻小起重设备和起重机。其中,轻小起重设备包括千斤顶、滑车、起重葫芦、绞车和悬挂单轨系统等;起重机是指除了起升机构外还有水平运动机构的起重设备,根据水平运动形式的不同,主要分为桥架类型起重机和臂架类型起重机两大类。如图2-9所示。

(a) 门座式起重机

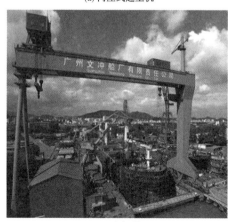

(b) 龙门吊

(c) 桥吊

图 2-9 门座式起重机、龙门吊、桥吊

（1）桥架类型起重机

桥架类型起重机的特点是以桥形结构作为主要承载构件,取物装置悬挂在可以沿主梁运行的起重小车上。桥架类型起重机通过起升机构的升降运动、小车运行机构和大车运行机构的水平运动以及这三个工作机构的组合运动,在矩形三维空间内完成物料搬运作业。这类起重机应用于车间、仓库、露天堆场等处。船厂常用的桥架类型起重机有桥式起重机和门式起重机。

①桥式起重机。使用广泛的桥式起重机有单主梁或双主梁桥式起重机,它的主梁和两个端梁组成桥架,整个起重机直接运行在建筑物高架结构的轨道上。最简单的是梁式起重机,采用电动葫芦在工字钢梁或其他简单梁上运行。

②门式起重机,又称带腿的桥式起重机。其主梁通过支撑在地面轨道上的两个刚性支腿或刚性–柔性支腿,形成一个可横跨铁路轨道或货场的门架,外伸到支腿外侧的主梁悬臂部分可扩大作业面积。门式起重机有时制造成单支腿的半门式起重机。

（2）臂架类型起重机

臂架类型起重机的结构都有一个悬伸、可旋转的臂架作为主要受力构件,除了起升机构外,通常还有旋转机构和变幅机构,通过起升机构、变幅机构、旋转机构和运行机构等四大机构的组合运动,可以实现在圆形或长圆形空间的装卸作业。船厂常用的臂架类型起重机有塔式起重机、门座式起重机。

①塔式起重机。其结构特点是悬架长(服务范围大)、塔身高(增加升降高度)、设计精巧,可以快速安装、拆卸,轨道临时铺设在工地上,以适应经常搬迁的需要。

②门座式起重机。它是回转臂架安装在门形座架上的起重机,沿地面轨道运行的门座架下可通过铁路车辆或其他车辆,多用于港口装卸作业,或造船厂进行船体与设备装配。

2.起重机主要参数

（1）起重量。起重机在正常工作时允许一次性起升的最大质量为额定起重量,单位为 t。起重量既包括所吊物件的重量,也包括吊索具重量,有工装的也要包括进去。所以起重作业人员在起吊之前一定要对其重量进行充分估计,避免超重的发生。

（2）跨距。桥式起重机大型运行轨道中心线之间的水平距离称为跨距,单位为 m。

（3）幅度。旋转式臂架起重机处于水平位置时,回转中心线与取物装置中心垂线之间的水平距离称为幅度,单位为 m。

（4）起升高度。起升高度是指从地面或者轨道定面至取物装置最高起升位置的垂直距离。起升范围是指吊具最高和最低工作位置之间的垂直距离,单位为 m。

（5）起升速度。起升速度是指稳定运动状态下额定载荷的垂直位移速度,单位是 m/s。

（6）行走速度。行走速度是指稳定运动状态下起重机吊挂额定负荷的平稳运行速度,单位是 m/s。

二、起重作业的危险因素

起重机械是涉及生命安全、危险性较大的生产设备,起重量 1 t 及以上的起重机械被列入安全监察的特种设备名录内。起重设备的使用单位必须经特种设备安全监督管理部门登记核准,起重设备的生产必须经特种设备安全监督管理部门许可,起重设备作业人员的从业资格要有准入条件。

对起重设备进行安全监察是世界各国的通用做法,我国发布的《特种设备安全监察条例》为全面履行安全监察责任规定了完善的安全监督制度。

(一)常见的起重机械伤害形式

起重机械危害因素集中,作业范围大,涉及的方方面面事物较多,稍有疏忽就有可能发生意外,且一旦发生事故,后果十分严重。

1. 重物坠落

重物坠落包括吊具或吊装容器损坏、物件捆绑不牢靠、挂钩不当、电磁吸盘突然停电、起升机构的零件故障等。

2. 碰撞

操作工看不清周围环境,在起吊过程中常会发生吊件或物或人碰撞。急刹车或启动过猛时,吊件在空中发生游荡也会碰倒设备、堆积物或人。

3. 脱钩

起吊操作不稳,使吊钩在空中游荡,或紧急启动、制动都有可能引起脱钩。

4. 钢丝绳折断

应该报废的钢丝绳继续使用,或严重超负荷吊装都有可能发生钢丝绳折断。

5. 安全装置失灵

起重机械的安全装置如止动器、限制器、限位器、防护罩等失灵或欠缺,又不及时检修,会引起事故。

6. 起重机失衡倾翻

起重机失衡有两种类型:一是由于操作不当、支腿未放稳或地基沉陷等原因使倾翻力矩增大,导致起重机倾翻;二是由于坡度或风载荷作用,使起重机沿路面或轨道滑动,导致翻倒。

7. 挤压

挤压包括起重机轨道两侧缺乏良好的安全通道或建筑结构之间缺少足够的安全距离,使运行或回转的金属结构机体对人员造成夹挤伤害;运行机构的操作失误或制动器失灵引起溜车,造成碾压伤害。

8. 高处坠落

高处坠落包括人员在离地面大于 2 m(含 2 m)的高度进行起重机的安装、拆卸、检查、维修或操作等作业时,从高处跌落造成的伤害。

9. 触电

起重机在输电线附近作业时,其任何组成部分或吊物与高压电体距离过近,感应带电或碰触带电物体,都可以引发触电事故。

10. 其他伤害

其他伤害是指人体与运动零部件接触引起的绞、碾、戳等伤害;液压起重机的液压元件破坏造成高压液体的喷射伤害;飞出物件的打击伤害;装卸高温液体金属、易燃易爆、有毒、腐蚀等危险品,由于坠落或包装捆绑不牢破损引起的伤害等。

(二)危险因素分析

1. 起重机的不安全状态

起重机的安全状态是保证起重安全的重要前提和物质基础。起重机械生命周期的任何环节的事故隐患,都可能带来使用中的严重后果。首先是设计不规范带来的风险,其次是制造缺陷,诸如选材不当、加工质量问题、安装缺陷等,使带有隐患的设备投入使用。较大量的问题存在于使用环节,例如不及时更换报废零件,缺乏必要的安全防护,保养不良带病运转,以致造成运动失控、零件或构件破坏等。总之,在起重机械的设计、制造、安装、维修、改造的每个环节上,都不能有丝毫的差错。

2. 人的不安全行为

人的行为受到生理、心理和综合素质等多种因素的影响,其表现是多种多样的,如操作技能不熟练,缺少必要的安全教育和培训;非司机操作,无证上岗;违章违纪蛮干,不良操作习惯;判断操作失误,指挥信号不明确,起重司机和起重工配合不协调等。总之,安全意识差和安全技能低下是引发事故主要的人为原因。

3. 不良环境因素

超过安全极限或不良的环境,直接影响人的操作意识水平,使失误机会增多。另外,不良环境还会对室外起重机造成不良影响,使起重机系统功能降低,甚至加速零、部、构件的失效,造成安全隐患。

4. 管理的缺陷

安全管理包括领导的安全意识水平、对起重设备的管理和检查实施、对人员的安全教育和培训、安全操作规章制度的建立等。管理上的任何疏忽和不到位,都会给起重安全埋下隐患。

起重机的不安全状态和操作人员的不完全行为是事故发生的直接原因,环境因素和管理是事故发生的间接条件。事故的发生往往是多种因素综合作用的结果,只有加强对相关人员、起重机、环境及安全管理制度整个系统的综合管理,才能从根本上解决问题。

三、起重作业安全技术

(一)设备、工具和工装要求

(1)作业前按规定要求检查起重设备、工具、工装,包括检查自制、改造和修复的吊具、索具、工装等,发现隐患及时处理。起重钢丝绳应每季度定期检查,钢丝绳报废按《起重机械安全规程》(GB 6067—2010)规定执行,凡经检查合格的钢丝绳应涂上颜色标志,按一、二、三、四季度分别为红色、黄色、蓝色、绿色涂色。

(2)起重麻绳、起重纤维吊索具,应防止受潮、虫蛀、腐蚀,使用后应置于干燥通风处妥善保管。

(3)使用的起重机械必须是经检验合格,按照设备设施安全管理规定进行维护保养的完好设备。

(4)新购置或自制的起重机械,其制造单位必须是经国务院特种设备安全监督管理部门许可的单位,持相应产品生产许可证或安全认可证;必须符合《起重机设计规范》(GB/T 3811—2008)、《起重机械安全规程》(GB 6067—2010)的各项规定和要求;必须按有关标准进行严格的试验及技术鉴定。起重机械的出厂技术文件、试验及技术鉴定记录必须齐全。

(5)新安装的起重机械必须到市级以上特种设备安全监督管理部门注册登记。经有资质的特种设备检测站检验合格,将质量技术监督部门签发的"安全检验合格"标志固定在起重机械显著位置上后,方可以投入正式使用。

（6）经过大修、改造或移地安装的起重机械必须报市级以上特种设备安全检验部门检验，确认合格后才能再投入使用。

（7）在用的起重机械必须按国家规定的检验期限进行定期检验，定期检验的执行者必须是有资格的检验部门。定期检验未通过的起重机械，不能再使用；超过使用期未进行定期检验的起重机械，亦不能再使用。在用起重机械每两年一次定期检验，检验合格后必须将新的"安全检验合格"标志张贴在吊车明显处。

（8）起重机的金属构架、轨道以及电气设备的金属外壳或其他不带电的金属部分，都必须有保护性接地。

（二）起重作业人员安全操作要求

（1）起重作业人员必须按规定持证上岗，班前、班中严禁饮酒，起重作业时必须集中精力，不准吃东西、不准看书报、不准闲谈、不准打瞌睡、不准开玩笑等。

（2）起重作业人员需按要求正确穿戴好个人防护用品，佩戴红色安全帽。

（3）起重司机安全操作要求。

①每班开机前应对控制器、制动器、吊钩、钢丝绳、上升限位、终端限位、警铃、急停开关等安全防护装置进行检查，并进行一次空载试验，检查起升机构和各运行机构的工作状态，确认正常才能开始作业。

②起重机运行前，应鸣铃警示，操作中接近人时应断续鸣铃或响警报，严禁起吊物件在人头上越过。运行中地面除有专人看管道沟、电缆、路轨及周围安全外，司机还应在运行中密切注意吊物及现场的动态变化。

③应听从指挥人员指挥，当指挥信号不明时，司机应发出"重复"信号询问，明确指挥意图后，方可启动开车。对紧急停车信号，不论由何人发出，均应立即执行。

④起重机停止工作时，应将重物卸下，将吊钩升到安全位置。工作完毕或下班时，要停放在起重机的停车位置，并将起重机锚定，将控制手柄复零位，切断总电源，关上门锁。

⑤打开主电源前或工作中突然断电时，应将所有控制手柄置于零位。起吊物体未放下，操作者不准离开操作点。

⑥当起重臂、吊钩或吊物下面有人，吊物上有人或浮置物时，不得进行起重操作。

⑦严禁使用起重机或其他起重机械起吊超载或重量不清的物品和埋置物体。

⑧在制动器、安全装置失灵，吊钩防松装置损坏，钢丝绳损伤达到报废标准等情况下，禁止起重操作。

⑨吊物捆绑、吊挂不牢或不平衡而可能滑动，吊物棱角处与钢丝绳之间未加衬垫时，不得进行起重操作。

⑩无法看清场地、吊物情况和指挥信号时，不得进行起重操作。

⑪在停工或休息时，不得将吊物、吊笼、吊具和吊索悬吊在空中。

⑫在起重机械工作时，不得对起重机械进行检查和维修。不得在有载荷的情况下调整起升、变幅机构的制动器。

⑬下放吊物时，严禁自由下落（溜），不得利用极限位置限制器停车。

⑭无下降极限位置限制器的起重机，吊钩在最低工作位置时，卷筒上的钢丝绳必须保持3圈以上。

⑮流动式起重机，工作前应按说明书的要求平整停机场地，牢固可靠地打好支腿。

⑯对无反接制动性能的起重机,除特殊紧急情况外,不得利用打反车进行制动。

⑰起吊重物后需变幅操作的,不得超过本机核准的重量-幅度范围,在地面运行的起重机应监视路轨面的运行状况。

⑱遇6级以上大风或大雨、大雾等恶劣天气时,不得从事露天起重作业。

⑲及时向设备管理部门反映起重机在操作中发现的故障。严禁起重机带故障运行。

⑳有主、副两套起升机构的起重机,主、副钩不应同时开动。对于设计允许同时使用的专用起重机除外。

㉑非起重机驾驶人员不准随便进入起重机驾驶室,检修人员得到起重机驾驶员许可后,方可进入驾驶室。

㉒当起重机上或其周围确认无人时,才可以闭合主电源。如电源断路装置上装锁或有标牌,应由有关人员除掉后才可以闭合主电源。

㉓工作中遇到突然停电时,应将所有的控制器手柄扳回零位,在重新工作前应检查起重机动作是否都正常;因停电重物悬挂半空时,起重作业人员应使地面人员紧急避让,并立即将危险区域围起来,不准任何人进入危险区。

㉔起重机工作时,臂架、吊具、索具、辅具、缆绳及重物等与输电线的最小距离必须符合有关规定。

(4)起重工操作要求。

①根据重物的具体情况选择合适的吊具与吊索;不准用吊钩直接缠绕重物,不得将不同种类或不同规格的吊索、吊具混在一起使用;吊具承载不得超过额定起重量,吊索不得超过安全负荷;起升吊物前,应检查其连接点是否牢固、可靠。

②吊物捆绑应牢靠,吊点和吊物的重心应在同一垂直线上。

③禁止人员随吊物起吊或在吊钩、吊物下停留;因特殊情况进入悬吊物下方时,应事先与指挥人员和起重机司机(起重操作人员)联系,并设置支撑装置,不得停留在起重机运行轨道上。

④吊挂重物时,起吊绳、链所经过的棱角处应加衬垫;吊运零散的物件时,应使用专门的吊篮、吊斗等器具。

⑤不得绑挂、起吊不明重量、与其他重物相连、埋在地下或与地面和其他物体连在一起的重物。

⑥人员与吊物应保持一定的安全距离,放置吊物就位时,应用拉绳或撑竿、钩子辅助就位。

⑦吊装、吊运作业时,指挥及配合人员的站位应有充分的避让余地,特别是高处作业更要选择好站位。

⑧吊运物件进出船舱时,应通知无关人员避开,并时刻注意吊物动态,确保吊钩、钢丝绳安全脱离舱口。单人指挥无法完成的作业,应设置协助指挥人员,并确保指挥信号的传递准确无误。

⑨堆放物件时应平稳整齐,易滚动的物件应垫稳固定。船上堆放的物件不得靠近船舷、舱口、梯口等开口边缘;各种动力输送管线上或安全通道内,禁止堆放物件;机舱底板无承托,不准堆放重物。

⑩下班时起重工应对外场起重机拉设防风缆绳。

（三）严格执行起重作业"十不吊"

（1）超过额定负荷不吊。

（2）无专人指挥或指挥信号不明、阴暗看不清不吊。

（3）安全装置、机械设备有异声或有故障不吊。

（4）物件捆绑不牢不吊。

（5）吊挂重物直接进行加工，以及歪拉斜挂不吊。

（6）吊物上站人或吊物上有活动物件的不吊。

（7）氧气、乙炔瓶等受压容器无安全措施不吊。

（8）棱角锋口未垫好不吊。

（9）埋在地下的物件情况不明不吊。

（10）易燃易爆物品无安全措施不吊。

（四）其他安全要求

（1）起重机的工作场所及作业地点在阴暗情况下必须有足够的照明设施和畅通的吊运通道。

（2）起吊重物时，作业前要检查各受力点情况及吊码焊接质量，在起吊时必须先把重物吊离地面不高于 0.5 m 处试吊试刹车，经检查确认稳妥，方可指挥起吊。发现问题应先将重物放回地面，故障排除后重新试吊，确认一切正常，方可正式吊装。

（3）物件吊运到位后，准备松钩前，施工人员及起重作业人员应对松钩前的安全状态进行检查，并经起重指挥确认无误后，方可松钩。

（4）多人挂钩操作时，必须确定一人担任起重指挥，驾驶人员应服从预先确定的指挥人员的指挥，其他起重作业人员或辅助人员必须听从起重指挥统一指挥，但在发生紧急危险情况时，任何人都可以发出符合要求的停止信号和避让信号，此时驾驶人员应紧急停止。

（5）重大起重作业，应按作业许可要求执行作业许可审批。技术部门应联合其他相关部门按规定编制起重吊装技术方案，作业前应进行技术交底，强调安全操作技术和流程，全面落实安全措施。起重作业时必须明确指挥人员，按《起重机　手势信号》（GB/T 5082—2019）规定的指挥信号进行指挥。指挥时不准戴手套，手势要清楚，信号要明确。用对讲机指挥吊装时，司机收到指令并应答确认后再进行吊运操作。其他作业人员应清楚吊装方案和指挥信号；起重指挥应严格执行吊装方案，发现问题应及时与方案编制人协商解决。

（6）两台或两台以上起重机抬吊，或者当被吊物体达到起重机起重能力的 80% 以上时，施工部门应会同技术工艺部门、设备部门、安全管理部门对施工方案、施工安全措施和应急预案进行审查；对从事指挥和操作的人员进行资格确认，对起重机械和吊具进行检查和安全确认后，方可作业。

（7）起重机械的操作者、维修者、管理者应加强环境保护意识，及时发现和消除起重机械各部件、各管路的滴油、漏油现象，修理时应设承油盘，防止油污落地。

（8）运输重型物要在道路中停放时，停放位置不能堵塞交通，夜间要设置红灯信号。

四、大型物件吊运安全管理规定

大型物件吊运是指重量大（如大于 50 t）的大型分段和设备；或重量达到起重设备额定

起重载荷80%以上;以及形状较大、重心不确定的物件(包括艏艉线形分段等)的运输移位和吊装,分段运输和总段吊装分别如图2-10、图2-11所示。

图2-10　分段运输

图2-11　总段吊装

(一)大型物件吊运的责任落实

责任落实依据和原则:谁设计谁负责,谁施工谁负责,管生产必须管安全。

1.技术人员

(1)在组织产品设计、工夹具设计、制订工艺规程时,必须同时负责编制大型物件吊装、运输的施工工艺和方案。

(2)产品设计时,必须考虑企业的起重负荷能力,严格控制分段的设计,并在图纸上注明分段吊环的吨位及焊接部位与探伤质量要求。

(3)经常会同现场管理人员和作业人员解决施工中遇到的问题,提出改进措施,不断更新、改进工艺技术。

2.项目主管

(1)在大型物件吊装、运输工作中全面负责。

(2)在开始吊装、运输前,要组织有关部门召开技术工艺和施工方案研讨、交底会;在布置下达生产作业计划时,必须同时布置下达安全防范措施,并组织实施,确保安全生产。

3.运输平台司机

(1)对车况安全性以及车辆的日常维护保养负责。

(2)要持有厂内机动车辆驾驶证,严格按照操作规程要求进行操作,严禁疲劳驾驶或酒后上岗。

(3)遵守厂内交通规则,服从指挥,对安全行驶、确保车辆与装载物及周边人和物的安全负责。

(4)复查装载物的重量、重心,对装载物的安全、稳妥性负责,并记录实际重量。

4.起重机司机

(1)工作前负责对起重机各个安全装置及主要部件进行仔细检查,确认灵敏可靠方可吊运作业。

(2)应听从专业起重人员指挥。多人挂钩时,驾驶员只听从指定的指挥员一人指挥。但无论任何人发出危险信号时,均应紧急停车。操作中必须与指挥人员密切配合,吊运前必须按喇叭示意,如发现指挥信号有误,会引起事故时,有权拒绝执行。

(3)严格按照起重机安全操作规程作业。

5.起重工

(1)运输前需了解、掌握大型重物的重量、形状、尺寸、重心等参数,需提前检查内部的积水及周边环境。

(2)对物件装载的安全、稳妥性负责。

(3)运输过程中负责给司机引路、指挥,确保运载物及周边人和物的安全。

(4)对运输工装、工具的安全、可靠性负责。

(5)对运载物到位摆放的安全、稳妥性负责。

(6)对防止运输物变形或损坏、表面质量、油漆的保护负责。

(7)按需要安装布置警戒标志,承担警戒义务。

6.其他人员

(1)设备员根据要求提供服务。

(2)安全员监控施工人员措施落实情况,协助现场安全秩序的维持。

(二)大型物件吊运的作业要求

(1)吊装或运输大型物件必须遵照由技术部门制定的施工工艺和吊装、运输方案。

(2)吊装或运输大型物件前,项目主管必须组织相关人员到现场查看。

①运输前需了解、掌握分段的重量、形状、尺寸、重心等参数情况,提前检查大型物件内的积水及活动物,做好路段可行性勘测。超高物件必须密切注意上方有无低空挂线和限高横标。

②检查确认吊环、内部脚手架或外部脚手架的捆扎;吊索具的规格、质量;棱角、切口的衬垫情况;加强材料的规格与焊接情况;物件的放置、捆扎和固定情况;周边环境及道路的状况等作业前的安全准备。

③检查确认"大型物件吊装安全工作单"(表2-2)和"大型物件运输安全工作单"(表2-3)的工作内容,签字后方能进行起吊或运输作业。

(3)首次顶起运载物时,司机要确保运载物的重心在运输车允许的范围内,若不在允许范围内必须重新装车,直到满足要求为止。

(4)在给运载物加垫木头时,木头要结实可靠,各种木头、木尖要合理使用,确保木头与分段、车严密接触,在运输过程中不松动、脱落,确保运载物平稳安全运输。

(5)运输过程中,应安排不少于2人给车辆引路、看位,经过狭小、拐弯、十字路段时,确保有足够空间通过;同时要注意监控垫木,若有松动要及时停车整改,在危险路段要减速慢行。看位人员需与车辆或运载物边缘保持3 m以上安全距离。

(6)吊装或运输中发现问题时,必须立即停止作业,在采取防范措施确保安全的情况下才能继续作业。

(7)恶劣天气、夜间照明度不足时,禁止作业。

(8)物件、车辆放置不得阻塞公司消防通道和分段运输通道,禁止在吊车路轨上停车,不得在斜坡路段停车,如被迫停车,应拉紧手制动器,使用三角垫木楔牢轮胎,司机不得离开车辆并注意物件情况。

(9)运输的超长超宽物件四周要有警示标志,物品宽度超过车厢宽度的,要对称放置,且物品重心要处在车厢宽度中心线位置。

表2-2 大型物件吊装安全工作单

施工日期		吊装吨位	
施工区域		物件名称	
起重 工职责	1. 钢丝绳与物件的棱角切口及精密部位必须有衬垫; 2. 检查钢丝绳外表不能有松捻、压扁、严重擦伤、过度磨损和化学腐蚀等现象; 3. 多台吊车抬吊重物时,严禁任何一台起重机超负荷吊运,指挥吊车必须由专人负责; 4. 吊运过程中,装卸货物时,正确选配吊索具,确认捆扎、挂钩有效性,并到位指挥; 5. 吊装时,必须注意周围环境,画出警戒区,防止无关人员进入	签名: 日期:	
起重机械 驾驶员职责	1. 作业前应对起重机各个安全装置及主要部件进行细致检查,确认灵敏可靠方可吊运作业; 2. 吊装时,应先稍离地面试吊,证实重物挂牢,制动性能良好,且起重机稳定后,再继续起吊; 3. 驾驶员应听从专业指挥人员指挥; 4. 多人挂钩时,驾驶员听从一人指挥; 5. 发现指挥人员或其他人员站在死角及有危险因素,按喇叭示意,不准起吊	签名: 日期:	

注:本单由起重工留存,工作完毕后交安全部门备案。

表 2-3 大型物件运输安全工作单

施工日期		额定载重量		
车辆牌号		实际装卸吨位		
运输起止地点		物件名称		
驾驶员职责	1. 出车前认真做好车辆例行保养； 2. 装载超长、超宽、超高物件时，采取安全行车的有效措施，挂上明显标志旗； 3. 装卸货物时，驾驶员必须离开驾驶室			签名： 日期：
跟车起重工吊运工职责	1. 工作前根据吊运任务，对吊索具及作业环境做细致检查； 2. 严格执行"十不吊"规定； 3. 装载货物要根据重力、重心，使高低分布均匀，捆缚牢固； 4. 车辆在运行中要密切注意货物安全状况，发现问题及时消除； 5. 运输途中协助驾驶员瞭望，发现障碍及时向驾驶员发出信号； 6. 装货物时，负责着落点、重心不偏移和着落方式；卸货时，负责提供货物吊装信息，负责捆扎、挂钩			签名： 日期：
班组长或带班职责	1. 督促小组人员做好各项安全措施； 2. 施工前按规定对现场进行安全检查； 3. 工作过程中明确个人职责			签名： 日期：
项目主管（调度）职责	1. 布置生产的同时要及时交代安全注意事项； 2. 检查上述人员工作是否到位，措施是否落实			签名： 日期：

注：本单由驾驶员留存，工作完毕后交安全部门备案。

第六节 通风作业安全技术

一、通风作业概述

通风作业的目的在于排除和冲淡舱（室）内原有或生产过程所产生的"有害物"，使舱（室）内空气达到拟定的气象条件及洁净度的要求，也就是保持人可以安全进入舱（室）内所需要的温度、湿度及浓度等。通风可以分为自然通风和机械通风两大类。

（一）自然通风

室内所产生的自然换气现象是由室内外空气的重量差及风的作用引起的，这种自然换气现象统称为自然通风。自然通风包括无组织的和有组织的两种。无组织的自然通风是利用开启的门窗缝隙进行自然换气，不能按需要和情况的变化进行必要的控制。有组织的自然通风则可根据需要和室内外气象条件的变化进行控制和合理地组织气流，以达到良好的通风效果。

1.热压作用下的自然通风

由于舱室内外空气温度不同,在同一平面上室内外受的空气压力也不相同,因此产生了一定的压差,空气从压力大的一侧经过孔口流向压力小的一侧,这就是利用自然通风的基本原理。自然通风可采用挡风天窗来实现。

2.穿堂风在自然通风中的应用

穿堂风就是风从建筑物一侧吹入,从对侧吹出。穿堂风的通风效率远超过热压或风压抽吸的通风,通风量超过 2.5~3 倍,使舱室内换气频率达到 50~300 次/h,在工作区形成的气流速度大,对降温排出气体可起到很好的作用。穿堂风可通过采用进气孔口和排气孔口来实现。

（二）机械通风

机械通风是利用通风机的机械能促使空气流动以达到通风换气目的的一种通风方式。机械通风包括全面换气通风、局部排气、局部送风等方式,应根据舱室的不同特点采取不同的通风方式。常用通风机如图 2-12 所示。

图 2-12　常用通风机

1.机械通风作业的一般原则

(1)当自然通风或局部通风不能满足要求、有害物危害较小且散发量不大、分散比较均匀、工人离有害物发生源足够远时,才考虑采用全面换气通风的方式。

(2)全面换气通风进入车间的空气应力求洁净,防止中途被污染。

(3)利用循环空气时,应保证每人每小时不少于 $30\ m^3$ 的新鲜空气量。

(4)在含有病原微生物、臭味及有害物浓度可能突然增高的工作空间内,不得采用循环空气。

(5)在有可能突然产生大量有毒气体或易燃易爆气体的场所,应考虑设置必要的应急事故通风。

(6)对散发有害物的设备,应首先考虑安装局部排气系统,使工人不在污染区内。

(7)在下列情况下不能将局部排气连成一个系统:剧毒工部和一般工部;遇水会发生爆炸的气体或粉尘与水蒸气;混合后会引起燃烧或爆炸,或生成毒性更为强烈的有害物的不同气体、蒸汽和粉尘;高温气体和油蒸汽或受热后易燃易爆的气体或粉尘。

(8)在防爆等级为甲类的生产厂房,通风机及电气设施均应采用防爆型的。风机与电机应直接传动,若用皮带传动时应有导除静电设备。当放在通风良好的通风室时,风机可用普通型,电机可用封闭型。

(9)由防火墙和其他防火隔断物隔开的房间,不宜用一个通风系统,否则应在风管上安装防火阀门。

(10)局部通风排气装置所收集的有害物应经过净化处理或回收后排入大气,排出的气体应符合国家规定的排放标准,目前在某些技术上尚未达到净化的有害气体应采取高空排放。

2. 全面排风作业安全要求

(1)当涂漆工艺和设备不固定,无法采用局部排风时,应采用全面排风。

(2)特殊情况下,大面积涂漆作业,因散发面广,应采取有组织的全面排风,使操作者不处于污染气流中。

(3)涂料调配室应采用局部排风,如受条件限制而无法采用局部排风时,可采用全面排风。

(4)数种溶剂(苯及其同系物、醇类、乙酸酯类)的蒸气同时排放于空气中时,全面通风换气量应按各种气体分别稀释至最高容许浓度所需要的空气量的总和计算。

(5)散入工作车间的有害气体量,在没有工艺设计资料或不可能用计算方法求得时,全面通风所需的换气量可根据类似车间的实测资料或经验数据,按房间的换气次数确定。

(6)工作车间全面排风系统排出有害气体及蒸气时,其吸风口应设在有害物质浓度最大的区域。全面排风系统气流组织的流向应避免使有害物质流经操作者的呼吸带。

3. 局部排风作业安全要求

(1)涂漆作业的局部排风系统,必须设置去除漆雾的装置。

(2)局部排风的排风罩应符合下述要求:排风罩应设置在有害物质的污染源处;排风罩罩口吸风方向应使有害物质不经过操作者的呼吸带;排风罩的形式和大小应根据所排出有害气体和蒸气的挥发性、相对密度以及涂漆的作业方法而定。

(3)涂漆车间散发有害物质的工艺设备,当无法采用密闭或半密闭的装置时,根据生产条件和通风效果,可分别采用侧吸罩、伞形罩、吹吸式排风罩或槽边排风罩。

(4)涂漆车间经常排出有害气体的机械排风系统,为在通风设备停止运转时仍能继续排出有害气体,应设置旁通排风管。

(5)在密闭空间内进行涂漆等工作时,应设置移动式送风和排风装置,有害气体的气流必须避免流经操作者的呼吸带。

4. 喷漆室通风安全要求

(1)喷漆作业应在设有机械通风装置的喷漆室内进行;喷漆室的气流组织应合理,不宜形成死角和涡流。

(2)喷涂中,小件的旁侧抽风喷漆室应设置有旋转工件的装置,以利于操作者对工件各方面进行喷涂而不受漆雾喷逸的影响。

(3)采用底部排风,顶部送风的喷漆室喷涂高大件时,应使用登高工具,其高度应保证操作者呼吸带不受有害物质污染。

(4)喷涂带沟槽的工件,宜使用长柄喷枪,使操作者的呼吸带不处于发生漆雾区域。

(5)喷漆室的风速控制建议按照表2-4的规定。

(6)喷涂含铝或铬等涂料时,喷漆室的控制风速应为1.0~1.2 m/s。

表2-4　喷漆室的风速控制表

操作条件(工件完全在室内)	干扰气流/(m/s)	控制风速设计值/(m/s)	
静电喷漆或自动无空气喷漆(室内无人)	忽略不计	大型喷漆室	0.25
		中、小型喷漆室	0.50
手动喷漆	0.25	大型喷漆室	0.50
		中、小型喷漆室	0.75
手动喷漆	0.50以下	大型喷漆室	0.75
		中、小型喷漆室	1.00

二、通风设备的选择

(一)风机的分类(防爆、非防爆)

1. 按风压分类

根据风机的压力不同,可将风机分为低压风机、中压风机和高压风机。其压力范围如下:

(1)低压:风压$p \leqslant 1\ 000$ Pa

(2)中压:$1\ 000$ Pa$<$风压$p \leqslant 3\ 000$ Pa

(3)高压(离心风机):$3\ 000$ Pa$<$风压$p \leqslant 6\ 000$ Pa

船厂大多采用低压与中低压风机。

2. 按原理分类

按原理的不同,可将风机分为离心式通风机和轴流式通风机。

(1)离心式通风机,由叶轮、螺旋形外壳、旋转轴以及电动机、传动装置和机座等组成。当叶轮在电机的带动下旋转时,叶轮叶片间和附近的空气在离心力作用下被抛向叶片的外沿,并顺着螺旋形机壳的内壁从出风口排出。与此同时,叶轮的中心部位则产生负压,使外界空气从进风口进入。

离心式通风机按其风压范围又可分为低压(风压$p<13$ kPa)、中压(13 kPa$<$风压$p<40$ kPa)、高压(风压$p>40$ kPa)三类。

(2)轴流式通风机,由叶轮、圆筒形外壳、电动机和机座等组成。当叶轮旋转时,空气被叶轮在出风面一侧压出,与此同时,使叶轮的背部形成负压,将外界空气源源不断地吸入。

轴流式通风机一般用在风量要求较大,而风压值要求不大的通风与排除大量余热的场所,常用的轴流式通风机风压值一般低于5.332 kPa。

(二)风机的性能参数

风机的性能参数包括风压、风量、功率、效率与转速等。

1. 风压

风机风压是指全压 p,单位为 Pa,它是单位体积的气体流过风机叶轮时所获得的能量增量。它等于风机的静压与动压之和。一般通风机在较高效率范围内工作时,其动压占全压的 10% ~ 20%。

2. 风量

风量指通风机在单位时间内所输送的气体体积。风机说明书中的风量与风压,一般均指标准气压下(即大气压力为 101. 325 kPa(760 mmHg),温度为 20 ℃,湿度为 50%,密度为 1. 2 kg/m³)的数值。风量单位常用有 m³/s、m³/min、m³/h。

3. 功率

功率是指单位时间内所做的功,单位为 kW。风机的功率可分为:

(1)全压有效功率,指单位时间内通过风机的空气所获得的实际能量。它是风机的输出功率,也称为空气功率。

(2)静压有效功率,指单位时间内通过风机的空气所获得的静压能量。它是全压有效功率的一部分。

(3)轴功率,指电动机传递给风机转轴上的功率,也就是风机的输入功率。

(4)电机功率,指考虑了传动机械效率和电机容量安全系数后,电动机的功率。

4. 效率

效率表明风机将输入功率转化为输出功率的程度,分为全压效率(也称为空气效率或总效率)和静压效率。

5. 转速

转速系指风机叶轮每分钟的转数,单位为 rad/min。风机转速改变时,风机的流量、风压和轴功率都将随之改变。

（三）通风方式的设置

1. 被动式通风系统

即不设置送风机,而仅在上面所说的"卸压风口"上设置抽(排)风机,并设置同上的风道(或不设置风道而仅在各个必要通风的房间的外墙上设置进风口),通过抽风机将室内气体抽到室外以在室内形成负压,从而使室外新鲜气体进入室内。

2. 主动式通风系统

即在风道的始端设置送风机,利用风机形成的正压将过滤后的新鲜气体通过风道输送到各个房间,并在能够与各个送风房间相通的大众空间的外墙上设置一个卸压风口(出风口),以实现室内气体的对流和室表里气压的均衡。

（四）通风机选择应注意的事项

(1)首先应根据排送空气的性质,如清洁空气,含有易燃易爆、腐蚀性气体及含尘空气等,选取不同用途的通风机。

(2)根据所需要的风量、风压及已确定采用的风机类型,由通风机产品样本的性能曲线或给出的性能选择表,选取所需要的通风机型号。

(3)选择风机时,应考虑由于管路系统连接不够严密有可能造成的漏风及风机效率等影响,选取不同用途的通风机。

（4）对噪声有严格要求的场所,应尽可能用低噪声风机。

三、通风量和通风效果的检测

（1）风量、风速检测必须首先进行。各项净化效果都是在设计的风量、风速下获得的。

（2）检测时要仔细检查风机是否运转正常,必须实地测量被测风口、风管的尺寸。

（3）对于单向流（层流）洁净室,采用室截面平均风速和洁净积乘积的方法确定风量。（取离高效过滤器 0.3 m 垂直于气流处的截面作为采样截面,按照测试点间距不宜大于 0.6 m 的原则在截面上设置不少于 5 个测试点,所有读数的算术平均值作为平均风速。）垂直单向流（层流）洁净室的测定截面取距地面 0.8~1 m 的水平截面;水平单向流（层流）洁净室的测定截面取距送风面 0.5~1 m 的垂直截面;截面上测试点数量应不少于 10 个,间距应不大于 2 m,均匀布置。

（4）对于安装过滤器的风口,以风口截面平均风速和风口净截面积的乘积确定风量。（在风口截面或引用辅助风管的截面上,按不少于 6 个均匀布置的测试点计算出平均风速）

（5）对于风口上风侧有较长的支管段且已经或可以打孔时,可以用风管法确定风量。（在出风口前不小于 3 倍管径或 3 倍大边长度处打孔）

（6）对于矩形风管,将测定截面分成若干个相等的小截面,每个小截面尽可能接近正方形,边长不大于 200 mm,测试点位于小截面中心,但整个截面上不宜少于 3 个测试点;对于圆形风管,应按等面积圆环法划分测定截面和确定测试点数;在风管外壁上开孔,插入热式风速计探头或皮托管。（通过测动压,换算为风量）

第七节　可燃气体检测技术

一、可燃气体概述

（一）可燃气体的概念

可燃气体是指能够引燃且在常温常压下呈气体状态的物质,是可燃物质的一个态,能够与空气（或氧气）在一定的浓度范围内均匀混合形成预混气,遇到火源会发生爆炸的,燃烧过程中释放出大量能量的气体。

（二）可燃气体的类别

常用可燃气体有氢气、氧气、液化石油气、一氧化碳、异丁烯、天然气、甲烷、乙烷、乙炔、乙醇、丙烷、丙烯、丁烯、甲醚等。

（三）可燃气体的特性

1. 扩散性

气态物质没有固定的形状和体积,能自发地充满任何容器。由于气体的分子间距离大,相互作用力小,所以非常容易扩散。

2.压缩性和膨胀性

气体受热体积会膨胀,所受温度越高,膨胀后形成的压力越大,这就是气体受热的膨胀性。压缩气体及液化气体盛装在容器内,如受高温、日晒,体积就会急剧地膨胀,产生很大的压力,当压力超过容器的耐压强度时,就会发生爆炸。如果气体钢瓶泄漏,气体就会逸散到空气中,急剧扩散,并随风飘动。可燃气体容易与空气形成爆炸性混合气体,遇明火就会引起燃烧、爆炸,而且蔓延扩展。

因此,在储存、运输和使用压缩气体和液化气体时,一定要采取防火、防晒和隔热等措施;在向气瓶或容器内充装时,要注意极限温度和压力,严格控制充装量,防止超温、超压、超量。

3.危害性(可能导致的事故)

(1)爆炸。可燃气体爆炸时产生的高温高压将对人体造成直接的伤害,如灼伤与撕裂伤害。

(2)吸入中毒。一氧化碳、硫化氢、二氧化氮与二氧化硫皆为有毒气体,吸入过量时将对人体造成直接伤害。其中,一氧化碳为无色、无味、无臭的气体,常使人员意外中毒而不自知,一氧化碳气体一旦与血红素结合,会严重妨碍氧气与血红素结合,致使人体细胞缺氧受损,甚至造成死亡。因此,一旦发生一氧化碳中毒事件,首先应立即将中毒者移至空气流通处并静卧,解开其紧束衣物,保持呼吸道顺畅,必要时给予人工呼吸。急性一氧化碳中毒依吸入浓度而有不同症状,轻者头痛、胸闷、疲倦、虚弱、嗜睡、肠胃不适及呕吐,重者则会视力模糊、判断力降低、意识丧失、抽搐,甚至死亡。若未及时急救治疗,易产生大脑功能退化、大小便失禁、缺乏平衡感或植物人等后遗症。

(3)缺氧症。当隧道施工场所中可燃性气体浓度过高致使空气中的含氧量不足时,施工人员缺乏充足的氧气以供血液循环正常运作。

二、常用可燃气体检测设备

(一)可燃气体测爆仪

在船舶修造过程中,舱室内的特涂施工和涂装作业都会产生大量的可燃气体,另外,一些盛装过油品(柴油、燃油)等的油柜(舱),虽然经过清洗,并进行有效通风后,需要进行热工作业时,残存可燃气体是否已在安全范围之内,仅用眼睛看、鼻子闻是很难确定的,这就需要借助一种仪器,即可燃气体测爆仪,简称测爆仪,如图2-13所示。

可燃气体测爆仪是对单一或多种可燃气体浓度响应的探测器。可燃气体测爆仪有催化型、红外光学型两种类型。催化型可燃气体测爆仪是利用难熔金属铂丝加热后的电阻变化来测定可燃气体浓度。当可燃气体进入探测器时,在铂丝表面引起氧化反应(无焰燃烧),其产生的热量使铂丝的温度升高,而铂丝的电阻率便发生变化。红外光学型可燃气体测爆仪是利用红外传感器通过红外线光源的吸收原理来检测现场环境的碳氢类可燃气体。测爆仪是一种安全检测仪器,它可及时、准确地检测被检测场所可燃气体的含量,以及可燃气体在爆炸下限内的浓度值,也可对各种可燃气体的舱室、管路、接头、阀门等进行检测,对一些涂装作业场所进行检测,以防止因可燃气体超标引起爆炸和火灾事故。它广泛用于石油化工、液化石油气、船舶等行业的安全管理之中,是船舶修造过程中必不可少的一种安全检测仪器。

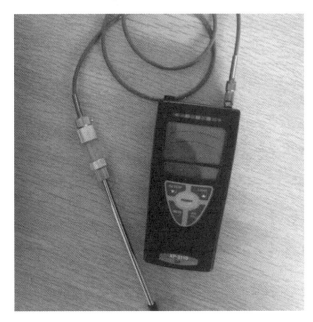

图 2-13 测爆仪

（二）测爆仪的选用与使用

（1）测爆仪（可燃气体测爆仪）必须选用国家指定部门鉴定认可的合格产品。凡未经国家指定部门鉴定认可的测爆仪不得使用。

（2）测爆仪应定期按出厂说明书或有关资料进行校正。

（3）测爆仪使用前应依照使用说明书或有关资料的规定,检查仪器是否正常可用（用标准气样检测或采取其他有效方法）,待确认测爆仪处于正常工作状态后,方可进行检测工作。检测结束后,再一次复核测爆仪的准确性,以证明测爆仪在检测的全过程处于正常状态。

（4）测爆人员必须经有培训资质的单位进行专项技术培训并考核合格,持证上岗。检测过程中,检测人员应认真履行职责,并严格按检测要求进行检测。

三、可燃气体检测

（一）检测的作用及主要部位

1. 检测的作用

（1）可以检测出舱室、容器或管道是否有气体泄漏,当发生有害气体或者可燃气体泄漏时,检测仪可以检测到并自动报警。

（2）当人们需要进入含有有害物质的场所时,比如地下仓库、下水道等,进入前必须进行有害气体或者可燃性气体检测,确保安全后才可以进入。

（3）在检查和修理盛装过可燃气体或者有害气体的设备设施时,需要进行可燃气体或者有害气体检测,动火之前必须进行测爆检查,检查合格后才能动火。

(4)通常在工厂或者加油站设置的可燃气体报警仪具有巡回检测的作用,可以保证空气中无可燃气体或者有害气体。

2.主要检测部位

(1)进厂修理的油轮、液化气等危险品液货船的货舱及其相邻舱室。

(2)修、造、拆的船舶盛装过易燃液体、气体的容器、管道(如油仓、油柜、油罐及液化石油气贮罐)和油舱内的蒸汽加热管等。

(3)乙炔站(发生器、瓶)、制氧站、液化石油气库(站)周围禁区内。

(4)易燃易爆和危险化学品储存场所及加油站、油漆间等。

(5)油漆、泡沫喷涂作业和使用丙酮、乙醚等易燃易爆物品的场所及其周围禁区内。

(二)申请检测应符合的条件

在船舶修造过程中,凡申请检测应具备下列条件:

(1)船舶分段、舱室喷涂作业后,保持了至少4 h的有效的机械通风,油漆表面基本固化。

(2)油轮全船货油舱(包括管系)已进行有效的清洗和通风除气;管系阀门已关闭;泵舱及隔离空舱已进行通风除气。

(3)进行热工作业的燃油舱、货油舱(包括邻舱和可能传导热量的邻近舱室)在有效洗舱后,已清除可燃气体及舱内锈垢和油泥。

(4)需要进行热工作业的泵舱、隔离空舱、压载舱、含油管系等,若有油污,应予清理干净,清油时应保持良好通风(包括邻舱,如燃油深舱、货油舱等)。

(5)易燃易爆危险物品仓库、区域和场所都应定期进行检测,必要时,也可以随时申请检测。

(6)油轮进厂修理,停靠厂区码头时,必须符合进入非油轮港区标准。

(7)船上个别货油舱或压载舱存有油污,其他各舱可燃气体浓度均超过爆炸下限的5%时,则应驶往污油站或油区卸下污油并清除可燃气体。

(三)检测作业要求

1.对检测人员的要求

检测人员必须经安全培训,并考核合格,取得"可燃性气体测爆资格证"才允许进行检测作业。

2.进入舱室检测前要求

(1)检测人员劳动保护用品佩戴齐全,应穿不产生静电的内外服装,严禁穿钉子鞋,所用照明用具必须是防爆型的。进入涂装作业后的舱室测氧测爆及可能存在有毒有害气体的舱室检测其气体浓度时必须佩戴防毒口罩,防止检测人员发生中毒事件。

(2)在进入舱室进行测氧测爆任务前,若身体条件欠佳,要及时反馈给派工者,让其安排其他人员进入舱室内测氧测爆。

(3)进入存在可燃气体的舱室检测时,检测人员应检查随身物品,确认无手机(或手机已关机)、打火机等非防爆物品才进入舱室进行检测。

(4)进入舱室检测其氧气、有害气体、可燃性气体的浓度前,确保防爆手电筒正常可用及电量充足,防止检测气体过程中照明突然中断,导致事故的发生。

（5）进入舱室检测其氧气、有害气体、可燃性气体的浓度前，检查确认测爆仪电量充足。

（6）确认需检测的舱室周边无热工作业。

（7）进入舱室对氧气、有害气体、可燃性气体的浓度检测前，必须有专人在舱口处进行全程监护。

（8）进舱检测前，应将该舱的通风设备关停，20 min 后再进舱检测。

3. 检测过程中的要求

（1）凡进入危险作业舱室（场所）检测前，应预先校准仪器，然后在进口处检测氧气和可燃气体的浓度，当氧气浓度在 18%～21%，可燃气体浓度在爆炸下限的 5% 以下时，方可进入舱内检测。

（2）舱外检测：将取样管或探头从洗舱孔或舱口放入舱内，取样部位每舱应至少选舱的前后端各一处，每处测上、中、下三点。

（3）进舱检测：在舱外检测可燃气体的浓度不超过爆炸下限的 5% 时，应深入舱内检测，选择的测点应为通风不良的舱底死角、油管口附近、洗舱盲区、舱内油气聚集处和船体复杂构件等处所。

（4）在舱内各测点的读数中选大者为该舱记录。

（5）检测人员在舱内检测，当测爆仪发生故障时，不得在舱内进行检修，必须到舱外检修。

（6）外观检查舱内、舱底及构件、梯道、管系、阀件等。上述部位均应无油泥和含油锈垢或其他可能产生可燃气体的物质。管系、阀件均不应泄漏。对于清洗不良的油舱，不论气体浓度大小，一律等重新清洗干净后，再进行检测。

（7）经检测舱内可燃气体的浓度小于爆炸下限 1% 时，测爆合格，可进行热工作业。

（8）检测过程中如出现身体不适（头晕、恶心等）的情况，应立即出舱，并到通风处休息，再通知安全管理部的其他安全员来进行检测。

（9）检测过程中有人员发生磕碰绊倒而导致流血时，要保持镇静，通过有效的方式向监护人和附近的作业人员求助，协助出舱，并在离开舱室后根据实际情况决定是否需打电话求助。

（10）在进入存在可燃气体的舱室检测，检测过程中发生骨折事件不能走动时，应保持镇静，并通过呼喊及用手电筒向舱室人孔打光的方式向监护人或附近的作业人员求救，禁止在舱室内开手机进行电话呼救和用硬物敲打舱室钢板。

4. 检测完成后的要求

（1）检测完毕，必须离开舱室后才能开启手机，禁止在舱室出入口处开启手机。

（2）检测结束后，应再一次复核检测仪器的准确性，使仪器在检测全过程处于正常工作状态。

（3）每次检测完毕，检测人员在"可燃性气体检测证书"上填写检测结果，如认为尚有附加条件或说明，应在其上同时予以注明，提出具体要求和注意事项，以保证作业中的安全。

（4）及时反馈气体检测结果。

四、检测证书的签发与失效

（1）每次检测完毕，测爆、测氧人员必须在"可燃气体检测证书""氧气含量检测证书"上根据数据，做出准确的鉴定并签证。

（2）可燃气体检测证书，只能证明检测后签发证明书上所指舱室（场所）内的可燃气体处于相应的安全范围，并不能保证该舱室内的可燃气体（石油气、油漆溶剂）在检测后保持永远不变。因此，对允许热工工作的舱室（场所）及周围区域内，在施工前及施工过程中应进行必要的复测。

（3）证书签发后，如在证书所指的舱室（场所）内发现任何在检测时已关闭或关紧的管道和阀门被开启、破坏致使油类或石油气重新进入时，证书则失效。

（4）证书签发的部位，不包括各种管系、泵及人员进不去、仪器摆不进的狭小部位，所以对这些部位的热工作业，事前必须采取通风、灌水、惰化和一端拆开等措施。

（5）热工作业的标准，必须严格要求，严加控制。热工作业的舱室（处所）可燃气体浓度不准超过可燃气体爆炸下限的1%。

（6）热工作业的舱室应有良好的通风，必要时，应采取机械排风和开工艺孔等措施。

五、含氧量检测

（一）测氧仪

测氧仪是氧气检测报警仪的简称，用于氧气检测报警的设备，带报警功能，为袖珍型扩散式；适用于煤矿井下、冶金环保、化工、市政等多种场合。缆线型测氧仪带探头延长线，适合于罐体及地下坑道等场所的缺氧测量，如图2-14所示。

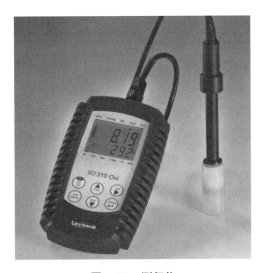

图2-14　测氧仪

（二）含氧量检测

（1）船舶到厂后，所有打开人孔盖的密闭舱室或密闭容器在人员进入前必须经过有效通风，氧气含量检测合格后方可进入。合格的氧气含量为18%~21%。

（2）凡被长期封闭的油舱、隔离空舱、箱柜、容器罐等，必须要有足够的通风后方可进入，防止因缺氧造成窒息事故的发生。

（3）检测时应先在入口处检测,确认合格后深入舱内或容器内检测。

（4）油舱等存在可燃气体的舱室进入前除测氧合格外,还应满足可燃气体检测要求。

第八节　有限空间作业安全技术

一、有限空间概述

（一）有限空间的定义

有限空间是指封闭或者部分封闭,与外界相对隔离,出入口较为狭窄,作业人员不能长时间在内工作,自然通风不良,易造成有毒有害、易燃易爆物质积聚或者含氧量不足的空间。

（二）有限空间的分类

有限空间分为三类:

（1）第一类是密闭或半密闭设备,如船舱、贮罐、车载槽罐、反应塔(釜)、冷藏箱、压力容器、管道、烟道、锅炉等。

（2）第二类是地下有限空间,如地下管道、地下室、地下仓库、地下工程、暗沟、隧道、涵洞、地坑、废井、地窖、污水池(井)、沼气池、化粪池、下水道等。

（3）第三类是地上有限空间,如储藏室、酒糟池、发酵池、垃圾站、温室、冷库、粮仓、料仓等。

（三）有限空间的风险因素

（1）存在或者可能存在导致人员事故伤亡的危险介质。

（2）存在或者可能存在导致人员事故伤亡的电能、动能、势能、机械能、液压能、气压能、机械能等。

（3）存在或可能存在能够吞没进入人员的物质。

（4）内部狭小或通风不良,可能会困住进入人员或使进入人员窒息。

二、有限空间作业的特点

（1）空间有限、通风不良,且自然通风较差、常伴有不明有害气体和易燃、易爆气体,容易造成有毒、易燃、易爆气体的积聚和缺氧等,对人身安全构成较大威胁。此特点是造成有限空间死亡事故的主要原因,有毒有害气体中又以硫化氢等为常见;所以在进入有限空间前首先必须保证该空间内有足够的无害的空气。

（2）设备设施与设备设施之间、设备设施内外之间相互隔断,导致作业空间通风不畅,照明不良,通信不畅。

（3）活动空间较小,工作场地狭窄,易导致工作人员出入困难,相互联系不便,不利于工作监护和实施、施救。

（4）湿度和热度较高,作业人员能量消耗大,易于疲劳。

（5）存在酸、碱、毒、尘、烟等具有一定危险性的介质,易引发窒息、中毒、火灾和爆炸事故。

（6）存在缺氧或富氧、易燃气体和蒸汽、有毒气体和蒸汽、冒顶、高处坠落、触电、物体打击、各种机械伤害等危险、有害因素。

（7）对于某些有限空间,内部构造复杂也是导致事故的原因之一。

三、作业许可及作业前准备

（1）必须严格遵守作业审批制度,严禁擅自进入有限空间作业。

（2）作业前必须进行危险有害因素辨识,并将危险有害因素、防控措施和应急措施告知作业人员。

（3）必须做到"先通风、再检测、后作业"的原则,落实通风和照明措施,必须对有限空间的氧气、有毒有害气体、可燃气体的浓度等进行检测,检测结果合格后,方可进入和作业。

（4）对作业工具进行检查,确认符合使用安全条件后才可拉进舱室作业。

（5）必须配备个人防中毒窒息装备、通信器材、安全绳索等防护设施和应急装备,设置安全警示标识,严禁无防护监护措施作业。

（6）必须对作业人员进行安全培训,严禁教育培训不合格人员上岗作业。

（7）作业现场必须配备监护人员,禁止单人下到有限空间进行作业。

（8）必须制定应急措施,现场配备应急装备,若安全事故发生,严禁盲目施救。

四、作业过程的安全监控

（1）在有限空间作业进行过程中,应加强通风换气,在氧气、有害气体、可燃性气体的浓度可能发生变化的危险作业中应保持必要的测定次数或连续检测。

（2）在作业场所必须采取充分的通风换气措施,严禁用纯氧进行通风换气。

（3）作业时所用的一切电气设备,必须符合有关用电安全技术操作规程。照明电压应小于或等于 36 V,在潮湿容器、狭小容器内,作业电压应小于或等于 12 V。使用超过特低电压的手持电动工具,必须按规定配备漏电保护器。

（4）有可燃气体或可燃性粉尘存在的作业现场,所有的检测仪器、电动工具、照明灯具等,必须使用防爆型产品。

（5）作业人员进入有限空间作业场所作业前和离开时应准确清点人数。

（6）进入有限空间作业场所作业,作业人员与监护人员应事先规定明确的联络信号。

（7）当发现缺氧时,必须立即停止作业,作业人员应迅速离开作业现场。

（8）当作业人员已发生缺氧症时,应立即组织急救和联系医院处理,情况严重的启动"有限空间作业应急专项救援预案"。

（9）进入有限空间作业期间,严禁同时进行各类与该场所相关的交叉作业。

（10）进入有限空间进行喷涂作业时,作业人员应穿戴采用防静电材料制成的防护服、防护面罩和内衣,禁止穿戴化纤工作服和带钉的工作鞋从事喷漆作业,严禁携带一切易产生火花和静电的物件进入喷漆警戒区域,在喷漆场所不得脱换衣服（包括帽子、鞋袜）,并派专职监护人员监护。

（11）严禁无关人员进入有限空间作业场所。

五、作业后要求

(1)作业完成后,应及时将工具等物品清理出有限空间。

(2)对作业场所进行清扫。

(3)作业人员离开有限空间后,要准确清点人数。

六、有限空间作业人员的安全培训

1. 培训要求

(1)定期对有限空间作业现场负责人、监护人员、作业人员、应急救援人员进行专项安全培训,每年至少组织培训一次。

(2)凡新员工入职,职工离岗三个月以上返岗等人员都必须进行有限空间作业安全教育培训,在规定时间内未通过考核合格转证的人员不能参与有限空间作业。

(3)有限空间作业岗位要不定期地组织有限空间作业人员进行培训学习。

2. 培训内容

有限空间作业人员专项安全培训应当包括下列内容:

(1)有限空间作业的有害因素和安全防范措施。

(2)有限空间作业的安全操作规程。

(3)检测仪器、劳动防护用品的正确使用。

(4)紧急情况下的应急处置措施。

(5)安全培训应当有专门记录,并由参加培训的人员签字确认。

第九节　船舶涂装作业安全技术

一、船舶涂装作业概述

(一)船舶涂装的概念

通常,人们将涂料的涂覆称为涂装。为使涂料更好地附着于被涂的表面,则对被涂表面需要进行严格的表面处理。目前,修造船界将船舶的涂料涂覆和涂覆前的表面处理的整个工艺方法与过程以及与此相关的技术上、管理上的全部活动统称为船舶涂装工程。

船舶主要由钢材和各种设备、仪表等组成,处在恶劣的海洋环境中,腐蚀现象非常严重,对其防护很重要,直接关系到船舶的使用寿命和航行安全。通常对船舶的防护主要有两种方式:涂装保护和阴极保护。其中涂装保护是一种应用最广泛,历史最悠久,最为经济、方便、有效的防护方法。

(二)船舶涂装的特点

1. 船舶涂装贯穿于整个修造船过程

船舶建造是一个非常复杂的过程,要经历钢材下料加工、分段制造和预舾装、船台或坞内合拢、下水、码头舾装与系泊试验、试航等过程。而船舶的涂装则要与整个造船工艺过程相适应。在每一个造船工艺阶段,应确定其相应的涂装工作内容。从钢材下料加工前开始,一直到交船,整个造船过程均贯穿着涂装。因此,在整个船舶建造过程中,必须自始至终十分重视涂装工作。同样,在船舶修理过程中,也必须重视涂装工作。

2. 涂料的多样性

船舶是一个庞大的活动于海洋之中的构造物,船体的各部位处于各种不同的腐蚀环境之中(有常浸没于海水之中的船底区,有海水干湿交替、含氧充足的水线区、干舷区,有处于海洋大气之中的甲板、上层建筑外部,还有处于特定腐蚀条件下的各种货舱、液舱等),这对于不同部位的涂层提出了不同的要求,由此决定了一艘船的涂料不能单纯地使用一两种底漆和一两种面漆,而往往需要几十种涂料加以合理配套使用。

3. 涂装管理的复杂性

由于修造船时间比较长,造船过程又自始至终都贯穿着涂装,加上船舶涂料品种繁多,因此应当合理地安排涂装作业,做到既要使工作量在整个修造船过程中分布得较为均匀合理,又不影响其他工种的工作进程;既要保证涂层的厚度和质量,又不造成材料过多的耗费;既要抓紧时机施工、缩短整个修造船周期,又要符合涂料的工艺要求以确保涂层质量。这就需要对涂料的合理应用、仓库储存、涂层保护、涂装工器具的使用、保养、涂装作业计划安排、劳动力的使用与平衡、涂层质量的检查与验收以及涂装作业的安全与卫生等进行系统的科学管理。

4. 涂装安全的重要性

种类繁多的船舶涂料,几乎都含有易燃有毒的有机溶剂,而船舶的涂装作业往往要在狭小的通风不良甚至几乎是密闭的舱室内进行,且船舶修造过程中处处有明火作业(电焊、气割、火工等),这些作业经常不可避免地与涂装作业在同一时间、相近区域交叉进行,故船舶涂装作业时的燃、爆危险性很大,人员中毒的威胁也很大。所以船舶涂装比其他工业产品、钢结构物的涂装,更要有严格的防尘、防毒、防火及防爆的安全措施,认真做到防患于未然,确保人身和船舶的安全。

二、船舶涂装作业安全技术

(一)涂料的库存、运输、现场使用安全要求

(1)涂料及有关产品应包装完好。包装桶上应标明正确名称、代号、批次、生产厂家、出厂日期。字迹如有损坏或模糊不清时,不得随意使用。在确认正确名称或代号后,重新贴上标签后才能使用。

(2)涂料生产单位应测定和确定涂料及有关产品的闪点和危险等级,并记载于产品标准和产品说明书中,涂料及有关产品的安全卫生性能和防护措施应在涂装车间安全技术文件中阐明。车间管理和工程技术人员、操作人员必须学习和熟悉这些文件。

(3)涂装车间应设专用配漆室,配漆室宜靠近涂漆区设置。使用涂漆量较少时(一般小于 20 kg),允许在涂漆区内现场配制。输送涂料、溶剂、稀释剂的管道应连接完好,严禁滴漏。无集中供料系统时,工作结束后应将剩余的涂料送回配漆室或倒入密闭容器中。不能继续使用的涂料应放到指定的废物堆放处,集中妥善处理。废液体涂料材料严禁倒入下水道。

(4)涂装作业现场允许存放一定量的涂料材料,但不得超过一个班次用量。新品种及

有关产品供试用时,应提供该产品的安全卫生性能说明和暂行标准。新品种涂料及有关产品的鉴定会议,应对该产品的安全卫生性能做出结论性意见。

（5）应对涂装作业使用的涂料、溶剂等危险化学品实行上下船登记制度。涂装作业完毕,必须将剩余的涂料、溶剂、废弃物等从作业区域中全部清理出去,存放到指定的安全区域。

(二)涂装作业区的防火防爆安全要求

（1）涂装作业舱室在进行涂装作业期间,必须设警戒区域(范围根据船舶具体情况确定)和警戒标志(如小红旗、彩色绳等),将涂装作业的舱室围起来,并在涂装作业舱室的人孔处、出入口处以及相邻舱室的围壁处设防火标志牌,以示警告,并设专人监护。此警戒区域内禁止任何施工作业。在涂装作业施工区域周围及登船口处设置醒目的船舶涂装作业指示板,注明涂装作业舱室、作业人员及人数、作业负责人、作业时间。

（2）涂装作业舱室周围以及相邻舱室的围壁等部位(根据船舶的具体情况确定),不得进行热工作业或与涂装作业相抵触的其他作业。

（3）涂装作业舱室的警戒区域内,所有的电源线、电焊线、氧气管、乙炔管以及配电设施等,应全部撤离。

（4）涂装作业舱室内搭设的架板(铁制)必须牢固,不得出现松动及摩擦现象,架板上不得放有铁制物等。

（5）涂装作业期间,施工单位应派专人负责巡回检查,单位所在的安全消防部门负责监督管理。

（6）涂装作业区域内应设足够的灭火器材,并定期进行检查。冬季应采取防护措施,以保证灭火器材始终处于完好有效状态。

（7）在涂装作业的生产组织时必须限定作业人数,每个舱室的作业人员一般情况下不得超过5人,特殊情况下不得超过9人。密闭舱室内涂装作业时,应至少有两人共同操作。当作业场所过于狭小仅能容纳单人操作时,必须有专人负责监护。

(三)涂装作业人员的防火防爆要求

涂装作业危险性高、危害性大,要加强对涂装作业人员的管理和防护。一方面,要重点要求和监督作业人员严格按技术操作规程作业,预防和控制作业人员的不安全行为;另一方面,应安排涂装作业人员每一两个小时轮换休息,以保证健康,防止中毒。

（1）涂装作业人员应按特种作业人员进行管理,经体检符合健康要求,必须经过专项安全技术培训、考核,持证上岗,并严格执行本工种的安全技术操作规程。凡未经培训、考核或考核不合格者,不得上岗作业。

（2）涂装作业人员的着装必须符合防爆要求,防静电服和防静电鞋必须配套使用。无防静电服时,可穿纯棉工作服。严禁穿化纤工作服和带有铁钉的工作鞋。

（3）严禁涂装作业人员携带打火机、火柴、易产生火花的金属工具,以及对讲机、手机、非防爆照明设施等发火物进入涂装作业施工区域内。

（4）涂装作业人员在作业中,如发现事故隐患,要尽快排除并及时报告,待整改后方可作业,对违章指挥有权拒绝。

（四）涂装设备的防火防爆安全要求

（1）涂装作业所使用的油漆泵、喷枪、液流软管必须完好，且液流软管必须具有导电性能。

（2）使用前应对油漆泵、喷枪、液流软管进行认真检查，特别应检查液流软管是否有断裂、泄漏或接头破损等情况，如存在上述情况应立即更换。严禁用胶带粘贴软管后使用，其液流软管的总长度不应超过 150 m。

（3）涂装作业时，油漆泵必须接地，喷枪与液流软管、液流软管与喷漆泵的连接必须牢固可靠，保持其连续性，以保证通过油漆泵泵体接地，其接地电阻值不应大于 4 Ω，以及时排除所产生的静电。

（五）涂装作业通风设施安全技术要求

根据多年来的管理实践，预防和控制船舶密闭舱室涂装作业发生爆炸事故，最重要、最关键的就是通风设施的安全技术。通风设施的效果好坏将直接关系到密闭舱室涂装作业的安全。因此，通风设施是密闭舱室涂装作业防火防爆预防和控制技术上最重要的一个环节，应予以高度重视。

（1）密闭舱室涂装作业的通风设施，首先应由船舶的设计部门根据船舶密闭舱室的特点、舱容（容积）、涂料的用量等，设计通风工艺图，标明所选择防爆风机的类型、数量、安设的位置。其通风量应使舱室内的可燃气体浓度不能超过爆炸下限的 5%。

（2）通风口应尽量利用船舶舱室的人孔，在利用船舶舱室的人孔无法满足通风要求的情况下，必须开设临时通风工艺孔（人孔）。临时通风工艺孔应设在有利于通风的最佳位置。

（3）密闭舱室涂装作业应采取全面通风的方式，主要采用排风方式。如果舱室结构复杂，死角多，可以用局部吹风进行辅助通风。

（4）进风口应尽量靠近作业地点，使进入舱室内的空气先经过作业区域，再经过污染区域排至舱外，以防止"气流短路"现象发生。

（5）通风所使用的风管，其材质应为阻燃性的，且应具有导除静电的性能，风管直径应与风机配套使用。

（6）涂装作业的舱室，风机的风管端头应放在作业场所的死角处，以防止死角处残留可燃气体，发生爆炸事故。

第十节　防火防爆作业安全技术

一、火灾和爆炸的定义

（一）火灾的定义及分类

1. 火灾的定义

《消防词汇　第一部分：通用术语》（GB/T 5907.1—2014）将火灾定义为：在时间或空间上失去控制的燃烧所造成的灾害。

2. 火灾的分类

《火灾分类》(GB/T 4968—2008)按物质的燃烧特性将火灾分为如下5类:

(1)A类火灾,是指固体物质火灾,这种物质往往是有机物质,一般在燃烧时能产生灼热的灰烬,如木材、棉、毛、麻、纸张火灾等;

(2)B类火灾,是指液体火灾和可熔化的固体物质火灾,如汽油、煤油、柴油、原油、甲醇、乙醇、沥青、石蜡火灾等;

(3)C类火灾,是指气体火灾,如煤气、天然气、甲烷、乙烷、丙烷、氢气火灾等;

(4)D类火灾,是指金属火灾,如钾、钠、镁、钛、锆、锂、铝镁合金火灾等。

(5)E类火灾(带电火灾),是指物体带电燃烧的火灾,如发电机、电缆、家用电器火灾等。

(二)爆炸的定义

爆炸是在极短时间内,释放出大量能量,产生高温,并释放大量气体,在周围介质中造成高压的化学反应或状态变化,同时破坏性极强。爆炸是物质发生急剧的物理、化学变化,在瞬间释放出大量能量并伴有巨大声响的过程。爆炸现象的一个最主要的特征是爆炸过程中压力急剧升高。

二、船舶修造常见火灾和爆炸类型

(一)船舶修造常见火灾类型

从以往船舶修造过程中所发生的火灾事故来看,常见火灾类型大致可以分为以下5类。

1. 气体火灾

这类火灾主要是可燃气体,如乙炔(包括乙炔的替代品)等可燃气体发生泄漏,遇着火源所发生的燃烧。其原因主要是:

(1)乙炔(包括乙炔的替代品)等可燃气体的管路(胶管)、钢瓶等泄漏。

(2)船舶修造过程中,气焊工所使用的乙炔(包括乙炔的替代品)胶管发生泄漏。

2. 油品火灾

这类火灾主要是油品,如柴油、燃油、油漆、稀料等油品,遇着火源所发生的燃烧。其原因主要是:

(1)船舶修造过程中,油柜(舱)注油、管系串油、设备活车时,由于油品发生跑、冒、滴、漏。

(2)船舶修造过程中,油漆涂装作业时,对剩余的油漆、稀料等油品到处乱倒、乱放、乱扔。

3. 可燃物火灾

这类火灾主要是可燃物,如家具、可燃的包装物等遇着火源所发生的燃烧。其原因主要是:

(1)船舶修造过程中,动火作业没有及时清除周围的可燃物,或没有采取防火安全措施。

(2)船舶修造过程中,施工人员将烟头到处乱扔,与可燃物接触后造成阴燃。

4.电气火灾

这类火灾主要是电气线路接触不良、电气设施绝缘不良所导致的燃烧。其原因主要是：

（1）船舶修造过程中，拉设的临时照明线路以及临时用电线路接触不良，超负荷。

（2）船舶修造过程中，所使用的电焊机等电气设备绝缘不良，设备老化。

5.静电火灾

这类火灾主要是静电放电引起可燃气体和可燃蒸气发生的燃烧（或者爆炸）。其原因主要是：船舶修造后期，油柜（舱）注油、管路串油以及大舱（包括压载舱）涂装油漆时，如船舶接地不好，静电不易导除时，所产生的静电容易引起可燃气体和可燃蒸气发生燃烧（或者爆炸）。静电火灾的发生在船舶修造过程中极为少见，但也应引起重视，不可忽视。

（二）船舶修造常见爆炸类型

从以往船舶修造过程中所发生的爆炸（爆燃、燃爆）事故来看，主要还是化学爆炸事故为主。大致可以分为以下两类。

1.可燃气体与空气混合后形成的爆炸

这类爆炸主要是可燃气体，如乙炔（包括乙炔的替代品）等可燃气体与空气混合后，其浓度达到爆炸极限时，遇着火源所发生的爆炸。其原因主要是：

（1）船舶修造过程中，气焊工所使用的乙炔（包括乙炔的替代品）的胶管，由于老化破损等原因，造成可燃气体泄漏，遇火源。

（2）输送乙炔等可燃气体的管路或胶管，由于破裂等原因造成可燃气体泄漏，遇火源。

2.可燃液体挥发的蒸汽与空气混合后形成的爆炸

这类爆炸主要是可燃液体，如油漆、稀料等可燃液体挥发的气体与空气混合，其浓度达到爆炸极限时，遇火源所发生的爆炸。其原因主要是：船舶修造过程中，一些较密闭的舱室，如压载舱、艏尖舱、艉尖舱、淡水舱、管隧道以及成品油轮的大舱等喷涂油漆时，由于油漆喷涂后，与空气接触面增大，溶剂挥发的速度很快，与空气形成爆炸性混合物，这时，如果防爆措施不到位，遇火源就会发生爆炸。

三、火灾事故的预防与控制技术

燃烧是指可燃物与氧化剂作用发生的放热反应，通常伴有火焰，发光和（或）烟气的现象。燃烧过程的发生和发展都必须具备三个必要条件，即可燃物、助燃物和引火源，这三个条件通常被称为"燃烧三要素"。只有这三个要素同时具备，可燃物才能够发生燃烧，无论缺少哪一个，燃烧都不能发生。根据物质燃烧的条件就可以知道预防和控制火灾的基本原理。一切火灾的预防和控制技术都是根据这个原理来破坏已经产生的燃烧条件，达到预防和控制火灾事故的目的。

（一）通常的预防和控制技术

1.预防措施

预防火灾发生的措施就是要把燃烧的三个条件，即可燃物、助燃物（氧或氧化剂）、点火源三者分离开来，并管理好它们，使它们没有结合的机会，就不会引起着火和造成火灾。如动火作业时，动火部位周围有可燃物质时，应清理周围的可燃物质，这样动火作业就不会引起火灾事故。如果不能清理周围的可燃物质,应采取隔离、降温等防火技术措施。最终目的就是破坏燃烧的两个条件,控制火灾事故的发生。这是防止火灾事故发生的根本措施。

2.控制措施

控制措施主要是控制燃烧的三个条件,使其不能结合在一起,以控制火灾事故的发生。控制措施主要有:

(1)如用阻燃材料或不燃材料代替可燃材料;在有火灾危险的场所,不应堆积大量的可燃物质等。

(2)控制火源是控制措施里的根本措施,也是预防和控制火灾事故发生的根本措施。如在有火灾危险性的场所或重点要害部位等动火作业,必须经防火员或安技人员检查确认,开具动火票,方可动火作业。

(3)人的不安全行为是造成火灾(爆炸)事故的主要原因。控制人的不安全行为,是控制措施的一项主要措施,如加强生产作业人员防火防爆技术,以及安全法规和规章制度的安全教育和培训,提高防火防爆的安全意识和自觉遵守安全法规和规章制度的自觉性。只要人的安全意识增强了,并且在日常的生产工作中,采取相应的防火安全措施,火灾(爆炸)事故是完全可以避免的。

3.灭火措施

灭火措施主要是预防和控制措施失误后的一种补救措施。万一不慎着火,就要尽快组织人员及时扑救。灭火措施分为初期灭火和正规灭火。初期灭火是在刚刚着火时采取的应急措施,如组织现场的作业人员,使用现场配置的灭火器材等进行扑救,同时,派人打电话向消防队报警。如果初期灭火做得好,就可以避免发生大火灾。正规灭火是指企业消防队或城市公安消防队的灭火活动。正规灭火需要大量的水源,为此,必须设有专用的消防水池和足够的消火栓。

(二)针对性的预防和控制技术

1.气体火灾的预防和控制技术

(1)输送可燃气体,如乙炔(包括乙炔的替代品)等的管路、胶管,以及设在船舶甲板上和分段场地周围的乙炔等可燃气体集配器,不得有气体泄漏现象,发现泄漏应立即采取措施解决。

(2)气焊作业使用的氧气瓶、乙炔瓶,各种阀件要完好,如有缺损不得使用。氧气瓶与乙炔瓶的间距不得小于5 m,氧气瓶、乙炔瓶与明火的间距不得小于10 m。氧气瓶嘴及瓶体沾有油脂时,严禁使用。禁止用沾染油脂的手、工具接触氧气瓶。

(3)气焊工使用的氧气管、乙炔管(包括乙炔替代品的胶管)、焊割炬等应完好,不得漏气。特别是在船舶密闭舱室及狭小通风不良的部位气焊作业时,如割炬及氧气管漏氧,均能产生富氧区,动火作业时发生富氧火灾易造成人员伤亡。

2.油品火灾的预防和控制技术

对于油品火灾的预防和控制,重点应放在防止油品泄漏,其次就是控制油漆、稀料以及油品不得到处乱堆乱放。

(1)油柜(舱)注油时,事先应对阀门、管系、法兰、人孔等处进行认真的检查,确认安全方可注油。注油期间应派专人负责进行巡回检查,防止跑、冒、滴、漏或溢出,以免遇到火源发生燃烧。

(2)注油的油柜(舱)应挂防火标志牌,周围严禁动火作业,如需动火作业,必须征得安全技术人员或防火人员的同意。

(3)机舱内的管系以及主辅机等设备串油时,事先应对串油的管系及设备等进行认真检查,确认安全方可串油。串油期间应认真做好巡回检查,严防跑、冒、滴、漏,发现跑、冒、滴、漏应及时处理确保安全。

(4)使用临时油柜串油时,临时油柜在机舱内应放在安全地点,并悬挂防火标志牌,做好防火措施,周围不准动火作业。

(5)冬季串油时,串油管系及临时油柜需用电烤板等加温时,必须经该船的安全技术人员或防火人员同意,并严格控制串油的油温。

(6)油品上船使用时,应做好各项防火防爆措施和管理,并派专人负责管理和监护。不得将油品随意乱扔、乱放、乱倒,周围不得有动火作业。

(7)涂装和其他作业使用的油漆、稀料、油料等油品,应经该船安全技术人员或防火人员审核同意后方可上船使用。

(8)涂装作业和其他作业结束后,应将剩余的油品及使用完的空油桶等全部撤离船下,并妥善保管,不得到处乱放。

3.可燃物火灾的预防和控制技术

对于可燃物火灾的预防和控制,一是要尽可能地采用不燃材料或阻燃材料代替可燃材料;二是要及时清除船上的可燃杂物。

(1)应尽可能地选用不燃材料或阻燃材料代替可燃材料,隔热材料代替传热材料。在选用新型可燃材料时,应制订工艺方案和防火安全技术措施,以确保施工安全。

(2)尽量减少可燃物质上船。特别是船楼房间的家具、卫生单元等包装板皮,上船前应对其燃烧性能进行检查和确认,对不符合防火要求的包装板皮等应在船下扒掉。如家具、卫生单元、主机以及其他设备需要保护时,应采用不燃材料或阻燃材料进行保护。

(3)对船舶修造过程中所产生的可燃杂物,应随时清理下船,不得在机舱、船楼走廊、房间内等堆放可燃杂物。

(4)电焊、气焊作业时,应对动火部位的周围进行认真的防火安全检查,特别是在舱室围壁上动火作业时,应检查相邻舱室围壁的背面及下方是否存有可燃物质,如木质吊板、抹布等可燃物,发现存有应立即清除。对不能清除的可燃物,如搭设的木质吊板等,应采取防范措施,如用不燃的或阻燃的苫布将木质吊板覆盖,派专人负责看火监护,并准备好灭火用水和灭火器材等。

(5)船舶施工所安设的临时照明灯具,不准靠近可燃物,灯具下方不准堆放可燃物。船上的照明设施启用后,应及时撤除临时照明灯具,以防照明灯具靠近可燃物引起火灾事故。

4.电气火灾的预防和控制技术

对于电气火灾的预防和控制重点应放在电气线路的拉设、电气设备(电动机、电焊机、二氧化碳焊机)等的使用上。

(1)船舶施工所安设的电气线路、电气设备,应由专业电工按工艺要求安设,其他人员不准乱拉乱设。

(2)安设的电气线路,绝缘必须符合线路电压的要求,电气线路的接头必须牢固。

(3)安设的电气线路,不得破皮漏电、超负荷或超负荷使用,不得乱接各种电气设备。

(4)安设的电气线路上应安装断器或熔断器,以便在线路发生短路时,能及时可靠地切断电源。

（5）船舶施工使用电动机时，电动机和启动装置与可燃物应有适当的距离，并安装合适的保护装置。

（6）电动机不得超负荷运行。电动机的运行温度不能超过最大容许温升，以免电动机过热烧毁引起火灾。

（7）焊接施工所使用的焊接工具必须良好，电焊机和电源线的绝缘要可靠，导线要有足够的截面。

（8）电焊工作业时，应对电焊机、电焊线等进行认真检查，电焊机接地必须良好，接线柱的螺丝应把紧，不得松动。电焊线不得破皮漏电，发现破皮漏电时，应及时处理。

（9）敷设电焊线（包括接零线）时，不得在喷涂油漆的密闭舱室的人孔及甲板上，以及装有易燃易爆物品的容器设备上或管道上通过。接零线长度不够时，不得将金属构件、管道、装有易燃易爆物品的容器设备和管路作为接零线。

（10）船舶施工使用的电热器具，特别是船楼装饰使用的电加热器，如地布焊枪等，应由专人负责使用和管理。停电及作业结束，应将电源切断，放置在安全地点，以防复电及电热器具过热引起着火。另外，电热器具无电源插头时，不得将电源线头直接插入电源插座内，以防短路发生危险。

5. 静电火灾的预防和控制技术

对于静电火灾的预防和控制，重点应放在防止静电的产生和及时导除静电上，使静电不致过多积累而产生静电放电引起易燃、可燃物质燃烧。

（1）船舶修造过程中，船体要有良好的接地，这样因摩擦产生的静电就会立即导入大地中而消失。

（2）油柜（舱）注油时，应在正规的注油口和管系进行，并降低油品在管系中的流速，油品在管系中的流速一般以 4~5 m/s 为限。另外，还应防止油品飞溅冲击，最好用导管使油品在液面下接近容器底部的地方流出，以减少冲击。否则，油品的流速越快，冲击、飞溅的情况越严重，产生的静电就越多，危险性也就越大。

四、爆炸事故的预防与控制技术

一般来讲，爆炸必须具备的五个条件包括：提供能量的可燃性物质，即爆炸性物质；辅助燃烧的助燃剂（氧化剂）如氧气、空气；可燃物质与助燃剂的均匀混合；混合物放在相对封闭的空间；有足够能量的点燃源。根据爆炸发生的条件，就可以采取预防和控制爆炸事故发生的措施，以达到预防和控制爆炸事故的目的。

（一）通常的预防和控制技术

为防止可燃物质发生爆炸事故，通常应采取两个方面的预防和控制技术，一是排除发生爆炸事故的物质条件；二是消除一切点火源。

1. 排除发生爆炸事故的物质条件

（1）工艺设备应做到密闭化

生产过程中要把易挥发的可燃物质密闭在设备或管道内，防止设备、储存容器、管路接头、阀门管件等部位发生跑、冒、滴、漏现象，以免可燃气体、可燃蒸气等物质逸出与空气形成爆炸性混合物。

（2）搞好通风除尘

对于某些无法密闭的，有可燃气体、蒸气、粉尘的场所，要设置良好的通风除尘装置，以降低空气中可燃气体、蒸气、粉尘的浓度，使其含量在爆炸浓度极限以下。另外，在通风净化设备和系统中，易燃易爆气体、蒸气的体积浓度不应超过其爆炸下限浓度的25%，可燃粉尘浓度不应超过其爆炸下限浓度的50%。

（3）具备防火防爆知识

工作人员应具备足够的防火防爆管理知识，了解能够引起爆炸的各种物质的特性，以及防止爆炸的基本措施，并管好、用好它们。

2. 消除一切点火源

（1）消除明火

明火是指敞开的火焰，如电焊气焊火花、火柴与烟火等。易燃易爆场所严禁携带烟火。设备管路等维修需动火作业时，必须停止生产，用惰性气体进行吹除置换，并经安全技术部门检查确认合格后，发给动火作业票方可动火。

（2）消除电气火花

易燃易爆场所不得使用普通照明灯具或开关，因使用时会产生火花，故应采用防爆型的照明灯或开关，或在室外设投光照明灯。应选用防爆型的动力设备，配电设备应安装在另一房间，并密闭隔离。引入易燃易爆场所的电气线路必须良好，并敷设在保护管内。

另外，要建立防火防爆管理制度，定期进行检查，以防产生电火花。

（3）消除静电放电火花

静电放电时产生的火花足以点燃可燃气体、蒸气、粉尘与空气形成的爆炸性混合物。易燃易爆场所所使用的设备以及管路等，应有良好的接地，以及时导除静电。在易燃易爆场所内作业的人员，不得穿化纤衣服，应穿防静电服或纯棉布衣服，以防产生静电放电。因此，消除静电放电火花也是防火防爆的重要措施之一。

（4）消除雷电火花

雷电产生的火花温度很高，可以熔化金属，也是引起爆炸事故的祸源之一。因此，应在易燃易爆场所的建筑物上及周围安设足够数量及有效的避雷针，并经常检查和测试，保持其有效性。

（5）防止撞击摩擦产生火花

钢铁、玻璃、瓷砖、花岗岩、混凝土等一些材料在相互摩擦撞击时，均能产生温度很高的火花，在易燃易爆场所应避免这种现象发生。如易燃易爆场所的地面应采用不发火地面，作业人员禁止穿带钉子的鞋，使用的工具应为有色金属工具，不应使用铁制的工具等。

（6）避免太阳能形成点火源

直射的太阳光，透过凸透镜、圆形玻璃瓶、有气泡的平板玻璃等会聚焦形成高温焦点，能够点燃易燃易爆物质。为此，易燃易爆场所必须采取遮阳措施，窗户玻璃应采用磨砂玻璃或刷白油等。

（二）针对性的预防和控制技术

根据以往船舶修造过程中发生的爆炸事故类型以及原因，结合爆炸发生的条件，采取针对性的预防和控制技术，防止船舶修造过程中发生爆炸事故。

（1）可燃气体与空气混合后形成爆炸事故的预防和控制技术。对于可燃气体与空气混合后形成的爆炸事故的预防和控制,和气体火灾的预防和控制的重点一样,应将重点放在防止可燃气体泄漏方面。

(2)输送可燃气体,如乙炔气(包括乙炔气的替代品)等的管路、胶管,以及设在船舶甲板上和分段场地周围的乙炔气(包括乙炔气的替代品)等可燃气体集配器,不得有泄漏现象。特别是现在乙炔气的替代品均比空气比重高,泄漏后往往沉积于低洼处,不易散发,遇有火源极易发生爆炸事故。因此,发现泄漏应立即采取措施解决。

(3)气焊使用的胶管、切割器不得泄漏可燃气体。每天作业前,应对胶管、切割器进行认真检查,发现泄漏不得使用。

(4)气焊(割)作业的部位,特别是密闭舱室及狭小通风不良的部位,作业时,通风必须良好,一旦发现可燃气体泄漏,必须立即停止动火作业,加强通风置换,将可燃气体吹散,待确认安全后,方可继续作业。

(5)气焊作业结束后,必须将胶管连同切割器一道拖出密闭舱室及狭小通风不良的部位,并将胶管盘好,放在通风良好的安全区域,切断可燃气体的气源,以防胶管内的可燃气体散落,造成爆炸事故。

(6)在密闭舱室切割作业,使用比空气重的可燃气体时,气焊工所使用的胶管不得有接头。作业结束后,立即将胶管拖出舱室外,以确保安全。且作业过程中必须做到有效通风。在此建议,在船舶修造过程中,密闭舱室切割作业时,最好不要使用比空气重的可燃气体,以防可燃气体泄漏引起爆炸事故。

(7)可燃液体挥发的气体与空气混合后形成爆炸事故的预防和控制技术。对于可燃液体挥发的气体与空气混合后形成爆炸事故的预防和控制,重点应放在船舶涂装作业的预防和控制爆炸事故上。

五、船舶修造火灾的扑救

(一)初起(初期)火灾的扑救

船舶修造过程中的初起(初期)火灾的扑救,就是万一不慎发生着火时,要及时组织施工现场的作业人员,根据现场物质燃烧情况,依照物质燃烧原理,使用作业现场设置的灭火器材等扑灭初起(初期)火灾。

1.扑灭初起(初期)火灾的基本方法

(1)隔离法,就是将燃烧的物质与周围的可燃物隔离或移开,燃烧会因隔离可燃物而停止,如将火源附近的可燃、易燃、易爆和助燃物质,从燃烧区转移到安全地点;关闭可燃气体、液体管路的阀门,阻止气体、液体进入燃烧区;排除生产装置、设备、容器内的可燃气体或液体等。

(2)窒息法,就是阻止空气流入燃烧区或用不燃物质冲淡空气,使燃烧物得不到足够的氧气而熄灭,如采用不燃或难燃材料(石棉布、湿棉被、黄沙)等,覆盖在燃烧物上或封闭孔洞;用水蒸气、惰性气体充灌到容器中或燃烧区域内;封闭着火的船舱等,以降低燃烧区的氧气含量,达到窒息燃烧的目的。

(3)冷却法,就是将灭火剂(水、泡沫、二氧化碳)等直接喷射到燃烧物上,将燃烧物的温度降到燃点以下,使燃烧停止。也可以用水或其他灭火剂喷洒火源附近的可燃物体或容器壁上,将起到冷却作用,防止其受辐射热的影响而发生燃烧。

（4）化学抑制法,就是将化学灭火剂喷入燃烧区,使灭火剂参与燃烧反应,并在反应中起抑制作用。但使用这类灭火剂灭火时,一定要将灭火剂准确地喷在燃烧区内,否则达不到灭火的目的。

上述四种灭火方法所采取的具体灭火措施是多种多样的。在实际灭火中,应根据可燃物质的性质、燃烧特点、火灾大小以及火灾现场的实际情况,选择一种或几种灭火方法,迅速有效地将火扑灭。

2.扑灭初起(初期)火灾所用的灭火器材

对于火灾的分类,国家标准《火灾分类》(GB/T 4968—2008)已做了明确规定,将火灾分为 A、B、C、D、E、F 共 6 类。因此,扑救初起(初期)火灾时,还要根据发生火灾的种类,选择所适合的灭火器材和方法,这一点对于扑救初起(初期)火灾也是非常重要的。否则,不但没有将火扑灭,反而越扑越大,耽误扑灭火灾的最佳时机,使小火变成大火。

A 类火灾:指固体物质火灾。这种物质通常具有有机物质性质,一般在燃烧时能产生灼热的余烬。A 类火灾如木材、煤、棉、毛、麻、纸张等火灾。扑救 A 类火灾应选用水型、泡沫、干粉、卤代烷等灭火器。

B 类火灾:指液体或可熔化的固体物质火灾,如煤油、柴油、原油,甲醇、乙醇、沥青、石蜡等火灾。扑救 B 类火灾应选用干粉、泡沫、卤代烷、二氧化碳等灭火器,扑救水溶性 B 类火灾不得选用化学泡沫灭火器。

C 类火灾:指气体火灾,如煤气、天然气、甲烷、乙烷、丙烷、氢气等火灾。扑救 C 类火灾应选用干粉、卤代烷、二氧化碳型灭火器。

D 类火灾:指金属火灾,如钾、钠、镁、铝镁合金等火灾。扑救 D 类火灾应选用专用干粉灭火器。

E 类火灾:带电火灾,即物体带电燃烧的火灾。扑救带电设备火灾应选用卤代烷、二氧化碳、干粉灭火器,绝对绝对不能用水扑救。

F 类火灾:烹饪器具内的烹饪物(如动植物油脂)火灾。F 类火灾应采用空气隔离法,用锅盖等身边的物体立即将燃烧物体盖住,达到隔离空气的效果。如引起大面积火灾,则用泡沫灭火器扑灭。

(二)火灾过程中的扑救

船舶修造过程中发生火灾,一旦初起(初期)火灾扑救得不好,造成火势蔓延扩大,这时就需要企业专职消防队或城市公安消防队进行扑救。企业专职消防队或城市公安消防队会根据火灾现场的实际情况,采取相应的灭火对策将火扑灭。企业专职消防队或城市公安消防队实施火灾扑救时,有一整套的灭火扑救战术和对策,在此不作论述。

第十一节　水上作业安全技术

船舶修造时需要紧靠水域,船舶进厂修理或新建造船舶下水后,大量的工程都要停靠在舾装码头边进行作业施工。船舶水上作业主要有船舶进出坞、系泊试验、试航等。

一、船舶进出坞

当船舶需要进坞修理或新船主体建造完成可以出坞时,就要进行船舶进出坞作业,如

图 2-15 所示。进坞作业首先要按要求排好坞墩,然后向坞内注水,待坞内与坞外水位齐平时,打开坞门,利用拖轮和牵引设备将船舶慢速牵入坞内并定好位,之后将坞内水抽干,使船舶坐落于坞墩上。出坞作业的流程刚好相反。

(a)   (b)

图 2-15 船舶进出坞

(一)船舶进出坞前的安全准备工作

(1)按规定成立船舶进出坞指挥部,成员由生产部门、技术部门、安全部门、质量部门、保障部门等组成,任命总指挥及各方面负责人。

(2)总指挥提前从技术部门获取船舶相关参数、图纸资料,组织有关部门共同商量研究,确定具体进出坞方案,制定安全措施,明确分工和责任。

(3)设计部负责系缆方案的设计,做好坞墩布局和船舶吃水策划,满足安全和工艺要求。

(4)由进出坞总指挥召开所有参与船舶进出坞及定位作业主管人员的会议,进行工作布置及安全事项说明,确认各层指挥人员及联系方式。

(5)检查、落实好船舶是否满足进出坞条件,如船舶前后吃水差不超过船长的1%,横倾不超过±1°,否则必须调整,确保船舶进出坞安全。

(6)对船舶甲板系泊设备进行完整性检查,将甲板两侧脚手架(板)、引桥、安全网、电焊线、乙炔和氧气胶管以及风、水管等一切牵挂物全部拆除,关好海底阀并锁好保险。出坞放水过程中,应派人负责检查是否漏水。

(7)组织对绞车、卷扬机等设施和钢丝缆绳、尼龙缆等工装设备认真检查,船坞两侧定位钢丝缆绳滑道内外应无任何有碍操作和安全的物件(包括脚手架、扶梯、电线、风管、水管、氧气、天然气管等)。

(8)坞门和船坞两侧带缆区域清场检查,不准堆放任何无关物件,保持畅通。在船坞两侧设立专门的安全通道,并划出警戒区域,竖立警示牌,禁止无关人员和车辆进入施工现场。

(9)对坞内、坞底工具、设备等进行认真检查。坞内墩木、垫板、木尖必须用连接条或用骑马钉进行固定,将坞内油污、余料、杂物和垃圾清除干净,将浮置物清理或归边固定(高度不超过1 m),将无法固定的物件、设备、废料吊离船坞,确保船坞开闸进水后没有漂移物,船舶移位落墩工作顺利完成,水域和周围环境不受污染,做到文明生产。

（10）进出坞前要对港潮、风速有充分估计，与航道管理部门协调，对附近水域加强观望和维持来往船只的交通安全，避免撞船事故发生。

（11）进出坞作业各关键岗位人员需配置对讲机，便于通信联络，对讲机统一频道，频道专用。

（12）准备好防撞装置，坞壁防撞装置布置要规范，确保作用有效发挥。

（13）拆除登船梯，准备应急吊笼。

（二）船舶进出坞过程安全要求

（1）船舶进出坞时，必须按港务监督有关规定，悬挂进出坞标志，告知往来船舶此处有进出坞作业，减速慢行，注意航行安全。白天：垂直悬挂进出坞信号旗（代号 D 旗）一面。夜间：垂直开启进出坞信号光环灯。

（2）在进出坞过程中，所有工作人员要有明确分工，互相配合，严守工作岗位，服从总指挥的指挥，根据指令进行操作，对讲机要保持畅通。

（3）水上、码头、坞边作业的作业人员，必须正确穿戴救生衣。

（4）必须要专人监控牵引车，随时指挥操纵牵引车人员停止或进行速度的调节，以满足船舶进出坞的要求（包括考虑到进出坞时的风力、风向、水流等带来的影响）。做好预防措施，防止牵引车缆绳崩断伤人。

（5）绞缆机、卷扬机等各种转动设备，在运行中禁止检修和无关人员靠近，操作人员必须密切注意周围情况，时刻当心人、物动态的变化，防止意外事故的发生。

（6）操作绞车人员注意缆绳的松紧，避免钢丝绳断裂；上缆、松缆作业人员注意力集中，操作正确，以免夹压手指。

（7）现场发生任何意外情况，在场人员应立刻向总指挥报告。

（8）船舶进坞作业

①通常安排在涨潮时进行进坞作业。启开坞门，由拖轮将船舶拖至坞口，先带好头缆、横缆，当带上坞边牵引小车缆以后，坞长就指挥绞缆机牵引船舶进坞。一般进坞绕钢缆方向是顺势（出坞是逆势）的，以防钢缆互相压住出现事故。

②船舶运行到与一缆成垂直线时，二缆向前挪动，当二缆与船舶成垂直线时，一缆向前挪动，循序渐进到指定的漂浮点为止。船舶进坞口二分之一时，给船尾带上三缆和四缆，按移动的顺序缓慢进坞。

③船舶全部进坞后，安排关好坞门，然后通知泵房开始抽水排泄，此时船会前后左右略有摆动。因此，必须将四面缆绳架稳，做好定位工作，以便船舶安全地平稳坐墩。

④坞水排完后，对所有的墩木进行检查，不吃力的墩木要枕紧打实，船首尾适当打些撑头加强，拆除缆绳，放好上下扶梯，并拉好安全网。

（9）船舶出坞作业

①出坞放水前，各工程主管组织相关单位按浮船出坞前必须完成的工程项目检查表对各自项目作全面检查，经检查、确认已符合出坞条件，经出坞总指挥认可后，通知开阀向坞内开始放水。

②坞内水位达到要求后，开启坞门，进入出坞状态。

③在引水员的指挥下，由拖轮将坞内船舶拖带至停泊码头，按要求将船上各缆绳带牢，将桥梯搭上，并拉好安全网。

④坞内船舶出完坞后,将坞门关闭,通知泵房将坞内水抽干。

(三)船舶进出坞后安全要求

(1)开泵排水后,泵房管理人员不得擅自离开工作岗位,应随时检查各阀门启闭情况,发现漏水应采取相应措施。

(2)坞内水排完后,应立即冲洗坞床和坞边上下梯淤泥,把坞底清扫干净。

(3)作业完成后,应重新将坞边护栏扶起固定好,回收钢丝缆绳、尼龙缆、滑轮等工装,检查所使用的设备、设施等,做好保养,有故障的及时排除,并向有关人员反馈。

(4)按规定做好进出坞相关记录。

二、船舶系泊试验

(一)主机试车

主机试车是在船舶处于系泊状态时,按系泊试验大纲或参照相关规范和标准对主机所进行的一系列试验的统称,目的是检查船舶动力装置的制造和安装质量,为航行试验奠定基础。主机动车应具备以下条件:为主机服务的燃油、滑油、海水和淡水系统已经验收;主机及轴系安装工作已验收;发电机组已验收,能正常供电;必须使用的燃油、滑油和清水已备好;码头有一定的水深。

(1)主机试车前要组织召开专题会议,依据试验大纲进行工艺交底,布置任务,落实安全责任,按要求审批"船舶主机试车作业安全确认表"。

(2)试车前应对机舱各类机械设备进行检查,确保设备安全运行;检查主机、齿轮箱、轴系周围地台板或临时网板是否完整,清除主机、齿轮箱及轴系周围的相关杂物,确保机舱内无任何障碍物;对相关运动部件周围人员清场,并拉好警戒线,挂好警示牌;禁止运动部件周围有人员进行其他作业。

(3)燃油、滑油、水柜加注时,应由专人负责监护,在确认各管路及相关阀的启闭无误后才能注入。

(4)试车前对全船未固定的设备、棚架等移动物件进行固定,避免动车时物件移动或失重倒下等意外。

(5)试车前由项目经理根据船舶吨位大小,通知施工部门配备适当的缆绳,系泊缆绳受力应均匀,缆绳应完整良好,试车船舶与前后船之间应保持一定的安全距离,防止发生意外事故。

(6)试车前要按规定在船上挂好码头系泊试验信号旗,晚上要打开系泊信号灯,船上和码头都要有足够的照明。

(7)试车期间,驾驶室应有专人值班和指挥,码头的缆绳、缆桩、船岸的上下梯要有专人监控,并组织好船上值班人员与看缆人员的通信联系,做到发生意外时能及时应急停车或采取其他相应措施。

(8)主辅机启动前,盘车梗及放置在主辅机上的工具等物件应清除干净,在确认传动系统、冷却系统、保险装置及阀件、管道压力、油位等正常后方可启动。

(9)主辅机启动后,各种泵、辅机应保持正常运行运转,一旦发现油、水、气有渗漏现象,应及时排除。

（10）试车时,船舷傍板外应停止作业。特殊情况的;要经项目经理同意,并指定专人监护,防止发生落水事故。

（11）参试人员必须做到分工明确,指挥统一,各工位负责人应密切关注试验情况,及时排除故障,消除安全隐患,严禁乱摸乱动与自己无关的设备设施。

（12）试车中应按照有关技术规定详细做好记录,连续试车应有专人值班监护。

（13）试车结束后应认真检查,消除隐患,切断电源,关掉海底阀,清理场地、油渍、整理工具,确认安全后,方可离开试车现场。

（14）船舶主机试车作业安全确认表如表 2-5 所示。

表 2-5　船舶主机试车作业安全确认表

施工项目			施工地点		施工单位	
施工时间		年　月　日　时			项目负责人	
确认项目	序号	确认内容			发现问题及处理意见	确认签名
轮机项目	1	清除主机、艉轴周围的杂物,无关人员禁止进入主机范围和集控室,各危险部位的作业人员均已撤离,安全防护装置检验合格				
	2	油、水柜和管子设备系统正常,管路、海底阀门按规定在开启或关闭位置,油管要贴有油标志				
	3	试车过程中,要经常检查油位,防止溢出,对洒落地面的油料要及时清理,加强巡查,设专人监护重点设备开关、阀门,禁止无关人员乱动,并做好记录				
	4	试车结束后,要切断电源,关闭海底阀门				
	5	主机舱通道畅通				
电气项目	1	电控设备接线查线完毕且合格,试车电缆挂电压标志				
	2	试车结束后,要切断电源				
系缆	1	根据试车船舶吨位的大小,配备有足够安全系数的缆绳,选择足够拉力的缆桩,试车船舶与前后船舶之间必须保持一定的安全距离,并对前后船舶的缆绳进行加固、设专人监护				
施工组织	1	主机试车方案分工明确,严格按试验大纲进行,并配备好通信工具				
安全管理	1	主机舱内无明火作业				
	2	对各作业点设备、设施进行检查、加固,防止滑移、倾倒				

表 2-5（续）

施工管理	1	主机试车船舶与前后船舶之间,必须保持一定的安全距离		
	2	动车前通知相邻船舶做好安全防护措施		
	3	试车过程中,禁止高处作业,舷侧外应停止一切作业,应确定起重工加强对上落梯、系泊索具和系泊缆桩的检查;驾驶室、机舱、集控室、码头随时保持对讲机联系		
	4	主机试车方案分工明确,严格按试验大纲进行,并配备好通信工具,对作业人员进行安全交底		
领导批示				

备注:(1)所有确认签名必须经过现场检查。

(2)各项目确认人员须在现场跟踪施工过程。

(3)有人发出停止施工指令,必须立即停止并经检查确认后方可继续施工。

(4)作业时间发生变动,施工单位主管应及时告知相关人员。

(二) 倾斜试验

船舶倾斜试验是通过船舶横倾来求得船舶完工后的实际重量和重心高度的一种有效方法。根据国内国际造船业通行做法及政府主管部门的有关规定,对于新建船舶,稳性变坏的船舶和对其稳性发生怀疑的船舶应做倾斜试验。倾斜试验存在一定风险,必须严格按照操作规程进行。

(1)船舶倾斜试验应在本船舶码头系泊试验项目全部结束后,并按试验大纲有序进行。

(2)试验前全船进行彻底清理清洁工作,不是船上配备的物件均应从船上撤除,一切可以摆动或滚动的装置、设备及物件等均应加以固定,甲板面清洁整齐。

(3)所有机械、锅炉、管路及系统内的水或油,应使其处于非工作状态,并关好油门,以防流动或流失。

(4)试验时应由项目经理统一负责指挥,组成试验小组,做到分工明确,责任到位,对船舶进行全面检查,确保安全。

(5)负责调整油水舱液面的操作人员,必须熟悉管路的走向和舱内液面的高低,防止失误引起船舶单倾。在液面调整结束后应将左右连通阀关闭。

(6)如果需要乘小艇检查船体标尺,勘查人员必须穿好救生衣,小艇应有专人操作。

(7)船在停靠码头尚未带好缆绳时,禁止人员上下,有高低挡时,严禁用未固定的脚手板或梯子上下。

(8)压铁的放置不宜过高,必须平稳,在起吊压铁时选用的钢丝绳必须符合安全规范,并由专人指挥。

(9)收放缆绳时,带缆人员应注意自身位置的安全,多人收放缆时,应步调一致,防止被缆绳挫伤。

三、船舶试航

船舶试航的试验项目、内容、方法、程序和试航计划应该会同船东和船级社等有关方面预先商定,并由船厂、船东和船检机构三方代表组成领导小组,负责实施。首制船通常还要请设计单位参加试航。

在试航前,对主要机械设备再做一次检查,并带足燃料、滑油和淡水及生活给养和救生器具,掌握气象预报情况,试验期间,风速尽可能小,海面尽可能平静,水下部分的船体和螺旋桨尽可能清洁,准备好测试仪器和专用工具,测速前应校验计程仪。

船厂对试航全过程做详细记录,为编写产品说明书提供实际数据。试航一般在指定航区内进行,如图2-16所示。

(1)各种船舶在试航前应事先向船级社和海事部门提出船舶试航的书面报告,经批准取得试航许可证后才能试航。

(2)船舶试航应根据有关海上安全航行的规定,要有足够良好的救生衣、救生圈、救生阀、救生艇、防火器材,挂好试航旗并谁备好其他安全设施。其中救生衣数量要大于试航人数,船上消防设施保持良好状况。

图2-16 船舶试航

(3)船舶试航所带的饮用水、食品要充足,且应符合国家卫生标准,保证质量,防止腐烂变质,避免食物中毒。

(4)试航前,主管生产的副总经理应召开专门会议,研究和确定试航的任务,组织临时领导班子,指定负责人制订具体措施,分工要明确,职责要分明,做到有条不紊。试航的人员必须经生产管理部审批,列出名册,在船舶离开码头前检查实到试航人员,做到一个不漏。全船要进行一次完整性的检查。

(5)开航前,航行试验小组组织召开工作会议和交底会议,确定开航日期,颁布试航纪律,规定试航期间对讲机频率。熟悉试验大纲试验项目,事前了解试航的时间、地点、方位、天气等情况,做到有计划有布置。指定负责人制订具体措施,明确成员职责分工,确认各项准备工作到位情况。

(6)贯彻"谁主管谁负责"的原则,试航总指挥对试航期间全船的安全工作负责。船舶试航,应有单船安全员随船协助做好试航工作中的安全工作。

(7)凡参加船舶试航的人员,都必须严格遵守纪律和各项制度,按时到达岗位,试航中必须坚持岗位,不准擅自离开。工作时间不准喝酒,不准随便进入危险区域。驾驶室内非驾驶人员,未经许可,严禁入内。

(8)试航中,机舱和上层建筑发生火情时,应立即关闭通风设备,组织人员进行抢救,若无法自救,则应立即向有关部门报警。

(9)船舶在高速航行时,任何人一律不准坐在舷旁栏杆或带缆桩上,以防因风浪冲击发生落水事故。

(10)船舶在夜航中,非值班人员应回到指定地方休息,不准在甲板舷旁等处停留、游荡。

(11)在进行操舵试验时,甲板上除了值班人员外,其他人一律回到舱室内。

(12)在进行抛锚和锚机试调时,无关人员必须离开现场,不准在附近通行或停留,以防发生人身事故。

(13)船舶在试航途中,遇到大风浪时,所有操作人员必须穿好救生衣,并要加强值班和检查,值班人员每班不得少于两人,任何人不得单独行动,发现问题立即处理或向领导报告,采取措施解决。

(14)机舱工作人员应经常检查主机、辅机的运转情况,密切注意各种仪表、信号,严守岗位,听从指挥。各种阀门、泵、辅助设备、主副机等设备,要保持良好的状态,发现问题要及时报告,并认真做好值班的记录。

(15)机舱内要保持整洁,废旧棉纱要放在专设的铁桶内,不准乱丢乱放,机舱内严禁吸烟,无关人员不准进入机舱。

(16)应急逃生口的通道内不准堆物,逃生口的进出口不准阻塞,装设的壁梯要保证良好,保证其畅通无阻。

(17)船上备用的各种油漆和溶剂必须分开存放在空气流通的房间内,并应设专人保管,室内禁止吸烟和明火。

(18)乙炔瓶、氧气瓶必须分开放置,并有通风遮阳措施。

(19)凡是容易滚动的固体物体,要进行加固和保护措施。临时性的滚动件要捆扎牢靠,防止船身晃动倾斜时移动伤人。

(20)在试航过程中,需要动用明火作业,要事先检查周围是否有易燃易爆物品,并按照明火审批制度规定严格执行。

(21)船靠码头时上下行人的扶梯或跳板要放置稳妥,船未停靠稳当或还未架设扶梯的情况下,严禁纵跳和攀登上岸。

(22)船舶停靠或离开码头,带缆人员应注意自己站立的位置,不准站在死角,其他无关人员一律不准进入危险区域,以防缆绳滑出或崩断伤人。

四、拖轮作业

拖轮是在港口或船厂范围内执行拖带作业的拖船,主要用于协助大型船舶进出港口、出入船坞、靠离码头、调头转向、移动泊位以及拖曳船等,如图2-17所示。其特点是船身较小,功率较大,具有较大的推(拖)力、良好的稳性和操作的灵活性,回转半径小,能低速进退、紧急停车,能推能拖,或能做长距离的倒拖,甚至横移等。

拖轮作业的安全要求如下。

图 2-17　拖轮作业

（1）接到任务后，驾驶员（船长）应向全体船员交代和布置任务，做好航行准备工作。凡多艘拖轮共同作业的，要开会研究航行及停靠中的一切问题和联络信号，统一方案，统一指挥，统一行动，严禁无证驾驶。

（2）开航前要认真检查主机、舵机、罗经、气笛、车钟及信号灯等的灵敏可靠性，确认一切正常后方可开航。

（3）启航前，首先检查船与船之间、船与码头之间所拖拉的电缆、风水管、跳板、安全网等是否收妥，然后查看周围船舶停靠及外围船舶航行的情况，确认一切正常方可鸣笛解缆启航。

（4）应对被拖船舶的类型、吨位、受风影响及当时的风力及潮水流速有充分的了解，做到心中要有数，指挥要及时。同时要能随时与被拖船舶的有关人员取得密切联系，以便应急准备。

（5）在船舶上下船台或进出坞工作时，必须与起重工等有关人员密切联系、紧密配合。

（6）航行中，驾驶室内不准进入无关人员，驾驶员必须集中思想，加强瞭望，严格遵守海、港航行的章程，使船舶安全航行。如遇交会船要主动鸣笛和避让，严禁抢道航行。要做到违章超载不出航，一机失灵不出航。

（7）夜间航行时，应检查信号指示灯的良好状况。

（8）停靠在码头时，应注意停靠的泊位是否适当和涨落水位的情况。

（9）工作或值班时间内严禁饮酒。

（10）在台风警报期间，必须做好值班护船工作，不得擅自离岗，并听从调度，积极参加救援等工作。

（11）拖带吊杆船、打桩船、趸船、起浮沉船及其他无舵船舶倒拖行驶时，不得遮蔽拖轮的号灯、号型。被倒拖的船舶夜间应在明显易见处显示白光环照灯一盏。

（12）船舶临时移泊距离不超过 600 m，可以在白天倒拖行驶。

第十二节　叉车作业安全技术

一、叉车作业概述

叉车是工业搬运车辆,是指对成件托盘货物进行装卸、堆垛和短距离运输作业的各种轮式搬运车辆,如图2-18所示。国际标准化组织ISO/TC110称叉车为工业车辆。叉车常用于仓储大型物件的运输,通常使用燃油机或者电池驱动。

叉车的技术参数是用来表明叉车的结构特征和工作性能的。主要技术参数有:额定起重量、载荷中心距、最大起升高度、门架倾角、最大行驶速度、最小转弯半径、最小离地间隙以及轴距、轮距等。

二、叉车在修造船舶行业的作用

叉车的主要作用有:提高物资作业效率,降低人员劳动强度,改善劳动条件;节约劳动力,提高劳动生产率;据国外对叉车使用的经济效益分析,一台叉车可以代替8~15个装卸工人的体力劳动。叉车作业时,仅依靠驾驶员的操作就能够使货物的装卸、堆垛、搬运等作业过程机械化,而无须装卸工人的辅助劳动,这不但保证了安全生产,而且占用的劳动力大大减少,使劳动强度大大降低,作业效率大大提高,经济效益十分显著。

图2-18　叉车作业

(1)缩短作业时间,加快物资周转速度,从而加快了车、船的利用率,提高了生产效率。

(2)充分利用了空间,节省了库房面积。使用叉车作业,可使货物堆得更高,目前可达到10 m以上,库房容积利用率可增加数倍。

(3)采用托盘和集装箱盛装货物,使货物包装简化,节省包装费用,降低装卸成本,提高作业效率和货物的安全性。

(4)叉车作业可降低劳动强度,解放劳动力,减少货损与人员工伤事故,提高作业的安全度。

(5)叉车作业可减少货物破损,提高作业的安全程度,实现安全装卸。

(6)叉车作业与大型机械装卸机械作业相比,具有成本低、投资少的优点。

三、操作人员要求

(1)叉车驾驶员必须身体健康,无职业禁忌症,经特种设备安全监督管理部门专门培训,考核合格,取得特种作业人员证书,持证上岗。

(2)必须认真学习并严格遵守操作规程,熟悉车辆性能和操作区域道路情况。

(3)车辆使用前,应严格检查,严禁带故障出车,不可强行通过有危险或潜在危险的路段。

(4)严禁带人行驶,严禁酒后驾驶;行驶途中不准饮食和闲谈;不准行驶途中用手机通话。

(5)做好交接班记录,交班司机应向接班司机详细交接车辆的当前状况、应注意事项等,经接班司机确认后方可下班。

(6)掌握维护叉车保养基本知识和技能,认真按规定做好车辆的维护保养工作。

四、叉车作业安全要求

(一)作业前准备

(1)正确穿戴工作服、安全帽、劳保鞋、口罩,禁止穿拖鞋或赤脚驾驶车辆。

(2)做好出车前检查。查看上班次检查表,做好出车前检查工作并填写检查表;重点检查制动系统、转向机构、轮胎、喇叭、灯光、雨刷、水、油、电、灭火器及安全防护警示装置等,如有故障应及时处理,禁止带病出车。

(3)出车前对周边环境进行检查,保证顺利出车。

(4)随身携带有效操作证。

(二)作业过程安全要求

(1)车辆起步前应看清前后左右有无行人和障碍物,然后开启转向灯起步行驶。行驶时应注意行人、障碍物和坑洼路面,并注意叉车上方间隙。出入车间、仓库时应鸣号减速,靠右行驶。通过十字路口时,应"一慢、二看、三通过";交会车时,要做到礼让"三先"(先让、先慢、先停);严禁争道和强行超车。

(2)遵守公司道路交通安全管理规定,按道路交通标志、标线提示操作。主干道上行驶速度不得超过 10 km/h,出入厂门、车间、库房门口、斜坡、吊车轨道、转弯车道等行驶速度不得超过 5 km/h,作业区、车间、库房内行驶速度不得超过 3 km/h。

(3)大雨、雾天等恶劣天气能见度差时,应开启警示灯光缓慢行驶,能见度不到 10 m 时应停止作业。

(4)叉车驾驶室以外部位严禁载人,驾驶室严禁超额载人,严禁在升高货叉下方站人和用货叉举升人员作业。

(5)严禁超载运行,严禁用货叉直接铲运危险品和铲运未经捆绑牢固的重心不稳物件,严禁用单叉作业或用货叉拨、挑或利用惯性装卸物品,严禁将货物升高做长距离行驶。装卸叉物时,应注意人员站位,避免货物倒塌伤人;运送零散、不规则物件时应使用专用托盘;重心不稳的物件应捆扎固定。

(6)铲运物件横向宽度超出轮胎外侧 1 m 时,必须在物件两端最宽处悬挂警示标识或由安排人员引导,否则严禁铲运,载物超高时,需有专人指挥叉运物件。

(7)叉运货物时,货叉离地高度保持在 150~300 mm,门架后倾,发现车尾或侧面轮胎有离地现象时,应立即停止叉运,防止倒塌发生事故。

(8)叉物超过视线时应倒车行驶;载物上坡时应正向行驶,下坡时应倒车行驶,严禁在斜坡上掉头及横向行驶。

(9)不准高速升降货叉或铲斗,起升重物要平稳,下降货物要缓慢,防止突然下降,车要呈制动状态,严禁在起重门架前倾时升降物件。

(10)多辆车同时装卸时,沿纵向前后车的距离不应小于 2 m,沿横向栏板的间距不应小于 1.5 m;与货垛的间距应不小于 1 m,与滚动货物的间距应不小于 2 m;车身后挡板与建筑物等固定物体的间距不应小于 0.5 m。

(11)在狭窄现场作业时,应留有安全空间位置,注意有无障碍物。

(12)叉运贵重设备时,应采用缓冲垫层;装运贵重设备或货物重量已达到叉车的额定工作量,或对叉车的叉运能力有怀疑时,应进行模拟性试叉,但试叉时应由有经验的维护人员在旁边监护作业。

(13)使用起重机械装卸货物时,驾驶员应离开驾驶室。

(14)叉车行驶过程中,禁止抢道行车;会车时,必须减速通过,注意非机动车和行人安全,会车有困难时,有让路条件一方让对方先行,在有障碍路段,受障碍的一方让对方先行。行驶中要主动避让执行任务的救护车、消防车等特种车辆。

(15)当叉车通过吊车轨道、人员流动大的区域或视线受限的区域,应减速慢行,注意避让。

(16)车辆倒车或调头时,要注意周围地形情况,在人多、场地狭窄的地方,应有人在车前后协助指挥。

(17)靠边停车时,不得影响道路交通,占用道路等待装卸货时,驾驶员不得离开车辆。工作间隙不应在车上睡觉。

(18)严禁上班前、下班前后 10 min 上路行驶,未经许可,严禁驶入限行路段和驶离厂外行驶。

(三)作业结束后要求

(1)把车辆停放在指定位置,尽量选择平坦位置停放,并将刹车刹稳、熄火、货叉放置在地面,在斜坡位置停放时,用三角木或其他有效方式垫住驱动轮。

(2)按要求做好车辆清洁保养,如实填写行车记录。

(3)关好车门窗,按规定保管车钥匙。

五、叉车日常检查、保养

(1)内、外表面保持干净;检查有无漏油、漏水、漏气现象;检查各部位的紧固情况。

(2)检查轮胎气压、灯光、喇叭、制动器、离合器、转向、后视镜及液压系统是否正常、可靠。

（3）检查发动机和仪表工作是否正常。

（4）检查润滑油、燃油和冷却水;检查电池液是否充足。

（5）方向机构、门架滑道等活动部位变质污油应经常擦拭换新。

安全作业培训 PPT

作业风险分析	高处作业防护	电气作业安全	涂装作业安全	有限空间作业安全

第三章　船舶修造安全管理

第一节　安全生产责任制

一、企业安全责任制的建立

安全生产责任制是根据安全生产方针"安全第一、预防为主、综合治理"及"管生产(业务)必须管安全""谁主管谁负责""党政同责、一岗双责"的原则,以制度的形式,明确企业法人是本单位安全生产的第一责任人,同时也规定了各级领导、各部门、有关工程技术和生产及业务人员,在各自的工作(业务)范围内对安全生产应负的责任。

安全生产责任制是企业岗位责任制的一个组成部分,是企业最基本的一项制度,是所有安全规章制度的核心。它具体规定了企业各级领导、各部门和专职安全机构在安全工作方面的职责,使安全工作有章可循、有法可依,加强了安全生产的领导和管理。

安全生产责任制的贯彻落实有利于克服安全与生产两张皮的弊病;防止和克服安全工作中互相推诿、无人负责的混乱现象;防止和克服安全工作和生产工作分家的现象,从组织上、领导上把安全与生产统一起来,促进安全生产管理。

安全生产责任制在制度和责任上体现了全员管理的思想,摆脱了长期以来安全工作只有安全管理部门孤军作战的局面,使安全工作具有纵向到底、横向到边、事事有人管、层层有专责、既分工又协调配合的安全体系,对改善企业的劳动条件,创造一个良好的生产和工作秩序,有着十分重要的意义。

二、企业安全责任制的内容

企业安全生产责任制的内容很多,概括地说,是企业的各级领导对本单位的安全工作负总的责任;各部门、有关工程技术和生产及业务人员在各自的职责范围内对安全工作负责。具体内容则应根据各单位的不同岗位人员的具体情况加以规定。从具体实践情况来看,在制定安全生产责任制时,企业要建立从生产经营单位主要负责人到普通员工的各层级各岗位的安全生产责任制。其主要内容有:生产经营单位主要负责人安全生产责任制;各级部门及部门负责人安全生产责任制;班组及班组长安全生产责任制;生产(作业)人员安全生产责任制。如:

1.生产经营单位主要负责人安全生产职责

(1)建立建全并落实本单位全员安全生产责任制,加强安全生产标准化建设。

(2)组织制定并实施本单位安全生产规章制度和操作规程。

(3)组织制定并实施本单位置安全生产教育和培训计划。

(4)编制实施安全技术措施计划,按国家规定提取改善劳动条件的安全技术措施经费,保证专款专用,努力改善劳动条件和作业环境,使生产现场作业条件符合国家规定和职业卫生标准。

（5）定期召开安全生产会议,分析安全生产情况,研究制订相应措施,对重大问题及时做出决策。

（6）组织参加重伤以上事故的抢救及调查处理,同时要认真吸取教训,制订改进措施,防止重复事故发生。

（7）组织推广安全生产先进经验和成果,表彰奖励先进单位和个人。

（8）定期向职工代表大会报告安全生产和劳动保护工作的情况,并接受其监督。

2. 部门长安全生产职责

（1）部门长对分管部门安全生产负第一位的责任。

（2）认真执行上级和本公司（工厂）安全生产的规章制度以及有关安全生产的规定和要求。

（3）经常向职工进行安全思想、劳动纪律和安全技术教育,负责对新入职、调换工种、复工职工进行安全教育,保证特种作业人员持证上岗。

（4）合理安排劳动组织,搞好均衡生产,做好作业前的准备工作。

（5）认真组织安全检查,对查出的问题要及时进行整改。一时难以整改的要认真研究,定措施、定人员、定期解决。

（6）把安全工作纳入生产经营及承包指标中严格考核,执行安全生产"五同时"规定。

（7）对职工伤亡事故和险肇事故应按"四不放过"的原则,参加或组织调查、分析、处理,不隐瞒、不拖延报告。

（8）认真组织各项规章制度的落实,制止违章作业、违章指挥,保证设备、工具、工装及上岗前个人防护用品的穿戴等符合安全要求。

3. 班组长安全生产职责

（1）认真执行安全生产规章制度、标准,努力创建无事故班组。

（2）强化安全管理,纠正违章作业和不安全行为。督促职工严格遵守安全制度操作规程及正确使用个人防护用品。

（3）经常检查、维护生产设备和安全卫生防护措施,使之保持完好、正常运行。发现事故隐患及时向上级报告,并在力所能及的范围内主动进行处理。

（4）经常向组员进行安全教育,不断提高职工安全意识,做好新职工、复工人员的安全教育。新工人未经考核合格不准上岗操作。

（5）作业场所的成品、半成品、零部件等要合理堆放。做到工完、料清、场地净,保持工作场所及通道的安全整洁。

4. 生产（作业）人员安全生产职责

（1）安全生产,人人有责。职工要牢记"安全第一、预防为主、综合治理"的思想,自觉遵守公司"职工安全生产行为守则"等安全生产规章制度和劳动纪律。

（2）做到互相帮助、互相爱护、互相监督,自己不违章,制止他人违章。实现"三不伤害",即不伤害自己,不伤害他人,不被他人伤害。

（3）严格执行安全操作规程,正确使用防护用品。工作前要检查作业环境的安全情况。工作中若发现不安全情况,应立即采取措施,消除隐患。

（4）努力学习,掌握安全生产知识,不断提高安全意识和自我保护能力。

（5）精心操作,爱护和正确使用各种设备和安全防护卫生设施,搞好文明生产。

5. 部门安全生产职责

企业中所有的部门与安全生产都有关系,都应按照分级管理、分线负责的原则,规定相应的安全职责,在各自的工作(业务)范围内对实现安全生产负责。牢记"安全第一、预防为主、综合治理"的思想,自觉地将安全工作融于生产、计划、科研、设计中,认真贯彻"五同时"的原则,正确处理好安全与生产的关系。

三、安全生产责任制的落实

(一)责任书的签订

1. 加强宣传教育,提高企业各级领导人员的安全生产思想

安全生产责任制能否建立和贯彻执行,取决于企业各级领导的认识。如果各级领导对安全生产认识不清,安全意识淡薄,只管生产不抓安全,安全生产责任制就不能很好地得到贯彻执行或者即使建立了安全生产责任制,也执行不好。因此,在制订安全生产责任制时,首先要组织企业各级领导认真学习国家的安全生产方针、政策和有关文件,从思想上认识到安全生产责任制是企业管理的一项重要制度,从而增强各级领导的安全生产意识,增强安全生产责任感,这样才能自觉地执行安全生产责任制。

2. 坚持贯彻"管生产(业务)必须管安全"的原则,做到"五同时"

哪里有生产,哪里就有安全工作。安全贯穿于生产的全过程,安全是生产正常进行的保证。它不是可有可无、时有时无或者生产任务少时集中抓一下、生产任务紧时松一下的问题。安全与生产是一个整体,安全生产必须坚持"安全第一、预防为主、综合治理"及"管生产(业务)必须管安全""谁主管谁负责""党政同责、一岗双责"的原则。各级领导、各部门应在计划、布置、检查、总结、评比生产的同时,计划、布置、检查、总结、评比安全工作。要克服在贯彻责任制时的形式主义,切实坚持管生产的必须管安全、把安全生产责任制真正落到实处。

3. 要建立检查、考核制度

企业的各级领导和职能部门必须经常检查安全生产责任制的执行情况,要依靠群众的监督检查。近年来,不少企业把安全生产责任制的执行情况纳入经济责任制的考核范围,与企业和个人的经济利益挂起钩来,发挥经济杠杆的作用,这对于促进企业认真贯彻安全生产责任制起到了积极作用。

(二)签署一级保一级、一级为一级负责的责任书

安全生产责任制是根据我国的安全生产方针"安全第一,预防为主,综合治理"和安全生产法规建立的各级领导、部门、工程技术人员、岗位操作人员在劳动生产过程中对安全生产层层负责的制度。按照"谁主管、谁负责""谁组织、谁负责"的原则,明确各单位安全责任主体、安全生产目标、奖惩制度等要求。坚持把安全生产作为企业发展的生命线,一级抓一级、一级保一级,层层落实安全生产责任制。通过层层签订安全生产责任书,分解全年安全生产目标到班组、个人,做到层层有压力、人人有指标,实现安全责任落实横到边、纵到底,形成了三级安全目标互保机制,为全年安全目标的实现提供保障。

1. 层层签订安全生产责任书

(1)企业负责人与各业务负责人签订安全生产责任书。

（2）企业负责人与各部门负责人签订安全生产责任书。

（3）部门负责人与本部门管理人员签订安全生产责任书。

（4）部门负责人与班组长签订安全生产责任书。

（5）班组长与本班组员工签订安全生产责任书。

2.落实安全生产责任

（1）企（事）业单位的各级领导人员在管理生产的同时，必须负责管理安全工作，认真贯彻执行国家有关劳动保护的法令和制度，在计划、布置、检查、总结、评比生产的时候，同时计划、布置、检查、总结、评比安全工作。

（2）企（事）业单位中的经营、设计、技术、生产、物资、运输、财务等各有关专职机构，都应该在各自业务范围内，对实现安全生产的要求负责。

（3）企（事）业单位都应该根据实际情况加强劳动保护工作机构或专职人员的劳动保护工作。

（4）企（事）业单位各生产班组都应该设有不脱产的安全员。班组安全员首先应当在安全生产方面以身作则，起模范带头作用，并协助小组长做好：经常对本组工人进行安全生产教育；督促他们遵守安全操作规程和各种安全生产制度；正确地使用个人防护用品；检查和维护本组的安全设备；发现生产中有不安全情况的时候，及时报告；参加事故的分析和研究，协助领导实现防止事故的措施。

（5）企（事）业单位的职工应该自觉地遵守安全生产规章制度，不进行违章作业，并且要随时制止他人违章作业，积极参加安全生产的各种活动，主动提出改进安全工作的意见，爱护和正确使用机器设备、工具及个人防护用品。

（三）责任落实的检查和考核

（1）定期对照签署的责任书，检查落实情况。

（2）对责任书的落实情况进行考核，通过考核促进责任的落实。

第二节　安　全　教　育

一、安全教育的目的

许多研究与分析结果表明，人的不安全行为是导致安全事故的最主要因素，随着企业改制的不断深入，船舶工业安全管理工作的重点已经逐步由对现场环境、设备的治理整顿转移到对人的行为的规范上来。因此，如何规范人们的行为，以达到预防和减少职业伤害的目的，是安全教育培训所必须研究和解决的课题。

安全培训教育的主要目标有两个方面：一是提高职工的安全意识；二是传授安全卫生的知识与技术。实现安全生产，不仅仅要靠科技、装备、管理，而且要靠生产中最活跃的因素——人，靠人的安全价值观念和安全行为意识，从而通过安全教育培训达到"要我安全"到"我要安全"，最终到"我会安全"的质的转变。

二、安全教育组织管理

1. 建立健全必要的安全生产教育制度

安全生产教育要搞好,必须建立健全必要的制度来加以保证。企业的安全生产教育制度一般应包含以下几方面的内容:

(1)关于新职工三级教育、中层干部教育、班组长教育、特种作业人员教育、变换工种教育、复工教育、全员教育和复训教育等八种安全教育形式的实施要求。

(2)安全教育的工作流程和各有关部门的职责。

(3)安全教育实施情况的检查、考核办法等。

安全生产教育制度的制订应符合企业的实际情况,文字简洁,要求明确,对制度的执行情况应定期检查、评价。

2. 建立健全安全生产教育的档案资料

安全生产教育档案资料包括:年度安全生产教育计划及实施要求;新职工三级安全教育登记卡;特种作业人员培训和复审情况记录表;各种形式安全教育的教育大纲;各种形式安全教育的试卷及汇总表;开班培训记录等。

3. 运用多种教育手段,使安全生产教育更为生动活泼

教育理解的手段一般采用人体多种感官受刺激的方法效果较为显著。因此,在安全生产教育中,应尽可能运用图表、PPT、录像、实物等媒介物,还可以用提问的方式让对方发表意见,甚至让学员动手操作,从而把学员的耳、眼、口、手、脑等各个器官的功能充分调动起来,取得较好的理解效果。

除了课堂教学外,在企业的安全生产教育中,还可以运用展览会、黑板报、电影、录像、文艺节目、演讲比赛以及事故现场会等多种教育手段,使安全生产教育形式多样,生动活泼。近年来,许多创新的安全教育培训方式如互联网+式、体验式、模拟式、现场交流式、竞赛式等取得了很好的效果,可以结合企业实际加以应用推广。

4. 要看准对象和场合,注意分寸

要看准对象和场合,注意分寸,例如在新职工三级教育中,有的同志为了强调安全生产的重要性,讲了不少血淋淋的事故,其效果往往适得其反,使新职工产生恐惧心理,反而不利于安全生产。

5. 注意搜集教学效果,不断改进教学质量

6. 要精通业务,掌握安全教育的主动权

教育者不仅要熟练掌握安全技术知识,而且要熟悉公司的生产特点和工艺流程,这样才能把握住安全生产教育的主动权,把企业的安全生产教育搞得更好。

三、安全教育类别

(一)新员工三级安全教育

新员工三级安全教育是安全生产教育的一个重要方面,是对新入职员工(包括新工人学徒工、临时工、合同工、季节工、培训人员和实习人员)进行安全生产思想建设的一项有效措施,它包括公司级教育、车间教育和班组(岗位)教育。进行三级安全教育应注意以下几

个方面。

1. 三级教育应掌握教育对象的特点

为了有效地对新入职员工进行安全教育,必须注意掌握这些人员的特点:缺乏生产知识和安全技术知识,好奇心较强,好动好摸,容易由于无知行为而导致事故的发生;有些人员不适应作业环境,特别在从事高温作业、高处作业和劳动强度大的操作时容易发生事故;有些人员缺乏高度的组织性和纪律性,对工伤事故的危害性认识不足,不听从领导和老工人的指导,违反安全生产规章制度。

2. 三级教育的内容应各有侧重

三级教育的内容应各有侧重,避免过多的重复,防止学员产生厌倦心理,从而影响教育效果。

(1)公司级教育

公司级教育一般侧重于进行思想教育和纪律教育。其主要内容有:安全生产的意义和任务;公司概况(包括公司产品情况,厂区环境,特殊危险区域,要害部位分布及安全注意事项,特殊设备的性能、作用、分布及注意事项,安全生产组织机构等);公司安全生产规章制度(重点讲解公司职工安全生产行为守则和安全操作规程总则),常见事故剖析;希望和要求。

在公司级教育中要反复阐明安全生产的重要性,使新入职员工从入职之初就开始树立起安全生产人人有责的思想。在讲解公司安全生产规章制度和安全操作规程时,可结合法规教育和劳动纪律教育,以加深新入职员工有章必循、守章必严、违章必究的法治观念。

(2)车间教育

车间教育一般侧重于进行安全技术基础知识教育。其主要内容有:车间生产特点;新工人安全技术基础知识;车间安全生产组织制度。

车间各有不同的生产特点、要害部位、危险区域和设备,在进行车间教育时应根据各自情况详细讲解。要强调掌握安全技术的必要性,要求新进人员在学习生产技术的同时学好安全技术基础知识。教育时不要过多地使用技术术语,可参阅公司级教育部分的常见事故案例,结合本车间具体情况,以正反两方面的典型事故举例说明,强调掌握必要的安全技术是保证安全生产的前提。在介绍车间安全生产制度时,应着重宣传遵章守纪的重要性和开展安全活动的好处,鼓励新入职员工积极参加各项安全活动。

(3)班组(岗位)教育

班组(岗位)教育一般侧重于进行现场安全操作教育。其主要内容有:介绍本班组生产特点、作业环境、危险区域、设备状况、消防设施等;讲解本工种安全操作规程和岗位责任;讲解正确使用防护用品和文明生产的要求;实际安全操作示范。

班组(岗位)教育重点是讲解安全操作规程。在介绍本班组的"老虎口"时,要结合事故教训,提出预防措施。实际安全操作示范应突出安全操作要领,可请重视安全、技术熟练、富有经验的老工人担任,边示范边讲解,说明怎样操作是危险的,怎样操作是安全的,强调不遵守操作规程将会带来的危害性。

(二)特种作业人员教育

对特种作业人员进行安全技术培训和复审教育是企业安全教育的一种重要形式。

根据《特种作业人员安全技术考核管理规则》规定:特种作业是指容易发生事故,对操作者本人、他人的安全健康及设备、设施的安全可能造成重大危害的作业。特种作业的范围由特种作业目录规定。本规定所称特种作业人员,是指直接从事特种作业的从业人员。

特种作业人员必须经过安全技术培训、考核合格,持有地方劳动部门签发的特种作业操作证,方可独立操作。

对特种作业人员的安全技术培训教育应采取按专业分批集中脱产学习的方式进行,可以由企(事)业单位自行培训或送到地方劳动部门指定的单位参加培训。经过培训考核取得特种作业操作证的特种作业人员还应定期参加复审。

企(事)业的安全管理部门应加强对特种作业人员的管理,建立健全特种作业人员的管理档案,加强信息反馈。特种作业人员要保持相对稳定,如需调动,应征得安全管理部门的同意。

(三)变换工种教育

变换工种教育的对象包括在本车间调动工作(或岗位)和在公司内变动工作的人员,以及短期参加劳动的管理人员。对上述人员应由接收单位进行相应工种的安全教育。教育内容可参照"三级安全教育"的要求确定。一般情况下,只需进行车间、班组两级安全教育,但调任做特种作业者必须经特种作业安全技术培训考核,取得操作证后方可独立上岗操作。

(四)复工教育

复工教育是指职工伤愈复工和职工经过较长的假期后复工上岗前的安全教育。复工安全教育侧重于安全态度教育,一般由车间主任或车间安全员进行。经过教育后,由车间或安全部门出具复工通知单,班组接到复工通知单后方许其上岗操作。

1. 工伤复工安全教育

工伤复工安全教育主要是针对已发生的事故案例做全面分析,并指出预防对策,引导复工者端正思想认识,吸取教训,提高操作技能,克服操作上的失误,增强预防事故的信心和能力。教育内容是:

(1)对工伤者的事故案例进行剖析,找出事故直接原因和间接原因,并对其主要原因进行分析。

(2)对工伤者容易产生事故的特点,例如缺乏安全操作知识、技术不熟练、思想不集中、对危险性认识不足、注意力转移、作业准备不充分、违章操作以及伤后恐惧心理等进行教育。

2. 休假后复工安全教育

休假后复工安全教育主要是针对复工者休假的类别进行复工前的"收心"教育,也就是针对不同的心理特点,结合复工者的家庭、健康、年龄、性格、心境等情况,及时消除其思想上的余波,轻装上岗。教育内容是:

(1)针对各自心理因素有的放矢地进行教育。

(2)重温本工种安全操作规程。

(3)熟悉机器设备的性能。

(4)实际操作练习。

（五）全员教育和复训教育

全员教育是指对企业全体职工进行安全生产思想和安全技术知识的普及教育,职工安全复训教育是指全员安全再教育。许多工伤事故调查分析资料表明,职工经过安全教育后,过了较长一段时间,安全观念会逐渐淡漠,容易违章作业而发生事故,因此必须通过安全复训加以补充教育。

全员教育和复训教育可采用车间和班组两级教育的方式进行。

1. 车间教育

（1）贯彻执行国家安全生产方针、政策、法规的重要性,安全与生产相统一的意义。

（2）通过对本公司以及同类公司曾经发生过的事故案例进行剖析,说明遵守安全标准、规章制度的重要性,提高员工预防事故的自觉性以及安全技术知识水平。

2. 班组教育

（1）重新学习与本车间、班组的安全规程及本工种的安全操作规程。

（2）本班组新近发生的事故剖析,并可请事故者现身说法进行教育。

（3）对本车间、班组不安全或有害隐患的预防措施。

（4）现场安全操作示范。

第三节　安　全　会　议

一、安全会议的目的和意义

安全会议的目的和意义:为及时传达政府和上级关于安全生产工作的方针和指示精神,总结、布置相关安全工作,使安全生产会议制度化、规范化。会议内容主要包括:

（1）总结分析安全生产形势,研究制定安全措施,对下一步的安全工作提出指导性的方针和目标,并做出具体安排和部署。

（2）传达贯彻政府安全生产机构有关安全工作的文件、会议精神和指示。

（3）研究制定本公司的各项安全工作标准、条例、规章制度,并发布实施。

（4）研究、决定对各项安全责任事故的处理及对有关责任人的处理意见。

（5）研究、决定对各项安全活动及年度安全工作先进部门和先进个人的表彰。

（6）针对事故案例,找原因、查危害、定措施,按照"四不放过"的原则,认真分析,使责任者和全体职工受到教育,吸取教训,制定防范措施。

二、安全会议的分类

（一）安全例会

安全生产例会是为了更好地掌握企业安全生产状况,也是预防和杜绝工伤事故,改善劳动条件的一项有效措施。还可以起到交流经验,互相促进、互相学习的作用。企业必须定期召开安全生产例会,讨论和分析安全生产的真实状况和存在隐患情况等,安全生产例会可以分为年、季、月召开,也可以每周召开。

1. 年度安全总结会

每年组织召开一次公司年度安全工作总结大会,公司及各级领导、安全管理人员和职工代表参加会议。会议主要内容:总结和分析本年度安全生产情况,研究和制定公司下一年安全工作计划和部署,表彰年度安全先进工作集体和个人。

2. 季度安委会

公司安全生产委员会每季度召开一次公司安全生产委员会全体会议,听取、审查上季度公司安全生产工作情况汇报,分析、总结安全生产态势,研究和制定本季度安全生产目标、计划、工作要点,解决和处理安全生产重大问题,部署、指导各部门开展各类安全生产活动,对存在的重大安全问题和隐患做出整改决定,并责成有关部门、单位执行。安全管理部作为安委会办公室要做好会议准备及会议记录存档工作,会后要形成会议纪要传达至各委员执行。

3. 月度安全例会

公司安全管理部应每月组织召开一次安全生产工作会议,各部门安全生产直接责任人、安全组长、劳务队队长、安全员参加,要做好会议记录并形成会议纪要传达至各部门落实。

(1)学习国家有关安全生产新的法规、法律等文件;

(2)通报上个月的安全生产情况并进行分析、总结,交流安全工作心得和经验;

(3)对上个月在安全生产工作中作出突出贡献的个人和集体进行表彰,对违章事件和人员进行处理;

(4)布置下一个月安全生产工作重点和各项安全生产措施。

4. 车间安全会议

通常情况下车间每月在固定时间召开至少一次安全会议,车间领导、安全员、班组长、工会代表和劳务队管理人员参加会议,要做好会记录并形成会议纪要传达至各施工队或班组。

(1)传达公司安全例会重要内容和布置的工作;

(2)通报、分析和总结车间上月度安全工作情况;

(3)结合车间实际工作,布置本月度安全工作重点及要求,明确措施、责任人和完成时间节点。

5. 劳务队安全会议

每周至少召开一次,由劳务队队长、领班和安全员参加。如果劳务队发生严重安全事故,临时召开会议的时间及具体内容由劳务队自行决定,要做好会议记录和执行检查情况记录。

6. 每日班前会

各施工队、班组,每个工作日的早上上班前15分钟为班前会时间,由班长组织全体员工召开班前会,检查员工出勤情况、精神状态、劳动防护用品穿戴情况以及组织学习《安全周刊》等有关内容,并结合当天的生产工作内容,针对生产特点、存在问题、不安全因素等提出防范要求,进行安全技术交底等。

(二)安全专题会

根据生产重要节点、地区极端天气、重要安全活动、重要假期、重要安全工作等,应及时组织召开专题的安全工作会议或动员大会,如 JSA 分析会、防台工作安全专题会议、防暑降温安全专题会议、"安全生产月"活动动员大会、秋冬季节火灾防控动员大会、节前安全工作布置会等。

1. 安全管理评审会议

管理评审是职业安全健康管理体系整体运行的重要组成部分。管理者代表应收集各方面的信息供最高管理者评审。最高管理者应对体系运行整体状态作出全面的评判,对体系的适用性、充分性和有效性作出评价,是一种高层次的对职业安全健康管理体系的全面审查的会议。管理评审工作应形成评审的结果、结论和建议。依据管理评审会议的结论,可以对是否需要调整、修改体系做出决定。

管理评审的完成并不是体系运行的终结,而是下一个运行过程的开始。通过管理评审形成新的目标和指标,制定新的 OSH 管理方案,并对所确定的危险因素实施控制和管理,实现新的一轮持续改进。管理评审会议通过年度计划安排,一般每年进行一次,也可随着内、外部条件的变化而及时进行管理评审会议。

2. 作业安全风险分析会(JSA 会议)

各类高风险或者非常规的作业,在作业前需要由项目经理负责组织召开作业安全风险分析会,来讨论施工各步骤存在的潜在风险,以及制定各项风险的控制措施,并将存在的风险和各项控制措施传达给相关施工人员,由船方、项目组相关成员(包括该项目负责人、安全主管)、施工单位负责人、班组长参加会议。

第四节　现场安全管理

现场管理水平的高低直接关系到产品质量的好坏、消耗和效益的高低,以及企业在市场中的适应能力与竞争力。生产现场安全管理是现场管理中的重要环节,是现场各项生产活动能高效有序地进行并最终实现预定生产目标任务的基本保证。船舶修造生产现场是一个非常复杂的作业环境,由于生产工种多,生产工艺繁杂,生产现场总是呈现多方位的立体交叉工作状态。同时,由于船舶是一种特殊的产品,高空作业、密闭舱室有限空间作业也都是不可避免的。所以,要真正控制好船舶生产现场的安全管理具有相当的难度。

一、现场安全管理的任务

现场安全管理的主要任务是运用计划、组织、控制、激励、教育等手段,合理组织各种生产要素,使之有效结合,形成一个有机的系统,并保证该系统安全、良好的运行状态。

(1)根据现场生产计划规定的任务和现场生产条件,制定安全卫生计划。

(2)组织现场生产安全计划措施的实施,消除生产现场的危险隐患,确保现场生产的安全。

(3)做好现场生产的协调工作,尤其当生产中出现危及生产安全和人身安全的异常情况时,要全力做好现场有关生产人员、设备、各部门之间的协调工作,尽快排除险情,恢复生产。

(4)创造一个良好的作业环境,改变生产现场"脏、乱、差"的状况;消除设备缺陷,防止设备带病运行,实现设备、设施的本质安全;制止各种违章指挥和违章操作,确保安全生产和文明生产。

（5）优化劳动组织,搞好班组建设和民主管理,不断提高现场人员的思想与技术业务素质,增强员工安全生产的自觉性。

（6）健全现场安全管理保证体系,使之与现场生产协调配合,发挥管理效应,有效控制生产过程,实现安全生产目标。

（7）加强管理基础工作,实行程序化、标准化管理。做到人流、物流运转有序,信息流及时、准确,出现异常情况能及时发现、及时解决,使生产现状始终处于正常、有序、可控的状态。

二、现场安全管理的方法

现场安全管理应做到科学、创新、有效、规范。各种现场安全管理的方法因所面临和解决问题的侧重面不同而各有特点,而各种方法之间也相互联系,互相补充。因此,在生产实际中应根据生产作业和生产环境的不同,来选择合适的现场安全管理方法。

（一）现场安全管理的具体做法

1. 重视安全生产工艺改革,创造良好安全生产条件

设计部门要把安全问题渗透到生产设计中去,融合于工艺设计技术实施的全过程,从而达到改变劳动条件,提高本质安全,防止事故发生的目的,例如:要推行预舾装法,变高空作业平地做;提高下水舾装率,变水下作业陆上做;实施总组装、总段建造法,变封闭作业敞开做;实行小组装、单元组装,变外场作业内场做。

2. 建立必要的组织保证

由各级领导人员参加组成的现场管理领导小组和由专业人员组成的工作小组,负责领导和开展日常现场管理工作,对现场情况不断进行分析研究,制定现场安全管理目标、计划、措施及考核办法。

3. 抓好宣传教育,提高职工参与现场管理的自觉性

安全事故大部分是由于职工违章造成的,目前船舶工业安全生产还处于不完全受控状态,主要是人的行为还没有得到有效控制。因此,要大力开展宣传教育,提高职工现场管理自觉性,培养良好作业习惯和参加管理能力,不断提高职工素质,增强责任心和自主管控能力,不断提高现场管理水平。

4. 建立和健全现场安全管理的规章制度和标准

其目的一是使职工严格按规定的操作顺序和标准,有秩序地进行生产;二是增强职工的工作条理性,促进定置管理的实施,做到文明操作、文明生产,实现设备、设施的本质安全;三是依照制度和标准使现场安全检查更具有科学性,达到事故预防和预控的目的。

5. 要注意与其他专业现场工作内容的有机渗透

在加强现场安全管理的同时,还必须重视其他专业现场管理。特别是生产现场设备管理,加强现场设备管理有利于建立正常的生产秩序,实现均衡生产,使设备处于良好的技术状态,保证生产的顺利进行。设备本身安全性的提高,也是减少伤亡事故、实现安全生产的一个重要保证。因此,在工厂设备、作业环境等各方面工作中,应按安全性评价标准进行现场安全管理。

(二)现场安全管理应注意的几个问题

1. 不断提高对优化现场管理的认识

全体职工特别是各级领导,都要深刻认识优化现场管理工作的必要性和重要性,从而增强开展现场管理工作的自觉性。每个领导必须以身作则抓好现场安全管理,切勿摆花架子,走过场,浪费人力、物力、财力,挫伤职工群众的积极性。

2. 处理好现场安全管理和安全性评价的关系

开展安全性评价与抓现场安全管理是一致的,二者相辅相成,其目的都是改善企业劳动条件,实现安全生产。企业在抓现场安全管理时,应把安全性评价标准纳入到现场管理中去深化、完善,两者有机结合,从而提高企业安全生产综合管理水平。

3. 处理好静态管理与动态管理的关系

在现场施工中,按规范标准放置的物件和安全设施是随着生产、技术、工艺等变化而变化的,现场安全管理必须适应和满足生产的要求做相应调整。所以说现场安全管理实际上是一个动态管理,这种动态包括人员结构变化、设备更新、原材料变化,生产技术和工艺调整、管理机制变化等,因此,在抓现场管理时要密切注意动态的变化。加强动态管理一是要严格工艺规程,严格实行"谁主管谁负责、谁拆除谁安装"的要求;二是要强化现场监督检查,使生产的组织者、操作者负起安全责任,真正把现场的每一动态的变化都控制起来。

4. 处理好班组管理与现场管理的关系

现场管理的核心也是对人的管理,因此,在加强班组管理和优化现场管理的过程中,始终要坚持对人的管理,把班组现场安全管理纳入到班组管理之中,并作为班组建设考核的一项主要内容。

(三)现场安全管理的"七个关键"

做好现场安全管理,需要重点抓住关键环节,确保将企业的有限资源如管理的精力、时间及物资投放在与安全生产密切相关的关键环节上。

1. 现场安全管理的关键岗位

根据现场安全风险辨识和评估确定重要危险源,分析确定现场的安全关键岗位,根据安全关键岗位涉及的4M1E五大要素(即人、机器、物、方法、环境)、相关的安全生产法律法规要求分析确定安全关键岗位所需人员的能力条件,比对分析现有安全关键岗位人员是否满足要求,是否需要培训、调整等。

2. 管好现场的安全关键人员

人的不安全行为是现场的重要安全隐患之一,必须防止因人的不安全行为引发安全事故的发生,尤其应重视安全关键人员的行为管理,重点管好与重要危险源有关的关键人员、在安全关键岗位上作业的关键人员等。

3. 管好现场的安全关键设备

现场的设备设施也是安全工作中需要重点关注的对象之一,尤其是存在重大危险源的设备,更应作为现场安全工作中的重点中的重点。重点设备设施要严格按相关要求安装调试,做好维修保养,在显眼处挂设安全操作规程、安全警示标识牌等。

4. 管好现场的安全关键物料

凡是自身存在安全风险的物料均应列为安全关键物料,防止在现场因管理不到位导致安全事故的发生,要严格按照物料安全使用说明书要求实施管理,配备使用指南及安全警示标识等。

5. 管好现场的安全关键步骤

根据现场安全风险辨识和评估确定的重大危险源,凡是存在或设有重大危险源的操作步骤的均应列为安全关键步骤,严格按照安全关键步骤的操作要点进行管理,全过程必须做好监控。

6. 管好现场的安全关键场所

凡是存在重大危险源的场所一律列为安全关键场所,纳入安全管理重点内容之一,严格按照安全关键场所作业管理要求进行管理,做好风险识别及应对策略等工作。

7. 管好现场的安全变更活动

安全活动的变更,不论是计划性变更,还是临时性变更,都要列入现场安全管理重点内容之一,必须按规定落实办理风险识别及评审、变更审批、安全责任落实及变更协调等工作。

三、现场安全隐患辨识与治理

(一)现场安全隐患辨识

辨识危险、查找隐患是企业抓好安全工作的重要手段,是企业领导层、管理层和班组的共同任务。就班组而言,要重点查找"后天性"隐患,其主要内容有:

(1)运行设备、系统有无异常情况,如振动、声响、温升、磨损、腐蚀、渗透等。

(2)设备的各种保护,如电气保护、自动装置、热工保护、机械保护装置等是否正常投运,动作是否正确、灵敏,是否进行定期校验。

(3)检查运行设备的安全措施、安全标志是否符合有关规定和标准的要求。

(4)危险品的储存、易燃物品的保管和领用管理是否存在隐患,动火作业是否按有关规定进行。

(5)作业场所的粉尘浓度是否符合工业卫生的控制标准,防尘设施是否正常投用。有毒有害气体物质排放点的通风换气装置是否正常投用。

(6)现场的井、坑、孔、洞、栏杆、围栏、转动装置保护罩是否符合规定要求;脚手架、平台、扶梯是否符合设计标准。

(7)作业场所照明是否充足,是否按规定使用低压安全灯。

(8)班组成员在作业时是否正确使用个人防护用品,工作中有无习惯性违章行为。

(9)班组成员是否按规定使用安全工器具,是否对其进行定期检查试验。

查隐患可以按照每周进行,对查找出的事故隐患如实登记,及时上报,所填写的登记表应包括如下内容:隐患登记时间,隐患项目名称,隐患地点,隐患类型,隐患危险等级、整改方案等。

(二)现场安全隐患治理

1. 技术措施

技术措施主要包括:采用自动化,机械化作业;完善安全装置,如安全闭锁装置、紧急停止装置;按规定设置安全护栏、围板、护罩等;电气设备的接地、断路、绝缘保护;作业场所必须的通风换气,足够的照明,或必要的遮光;符合规定要求的个人防护用品;危险区域或设备设置警告标志。

2. 管理措施

强化现场监督,建立安全流动岗哨;实现标准化作业,规范操作者的安全行为;开展"三不伤害"活动;坚持安全确认制,如操作前确认,开工前确认,危险作业安全确认;推广安全文化,提高安全意识,加大安全技能训练;实施班组安全目标管理;奖优罚责。

3. 个人措施

操作者在操作前要进行自我安全监察,也就是要求每一个操作者在进入现场工作前,首先进行自我安全提问,自我安全思考,即考虑在作业过程中,"物"会不会发生危险,如出现坠落、倒塌、爆炸、泄漏、倾斜等危险。发生这些危险后,自己会不会受到伤害,如会不会被夹住、被物体打击、被卷入、烧伤、触电、中毒、窒息等。其次,进行自我责任思考,考虑万一发生事故,自己应该怎么做,如何将事故的危险程度和损失降到最低。

四、现场 6S 管理

(一)6S 管理的定义和目的

6S 管理起源于日本的 5S 活动,在 5S 活动的基础上,增加了一个"安全"环节,目的是强调安全工作的重要性。6S 管理是指整理、整顿、清扫、安全、清洁和素养,6S 管理是企业生产现场管理的基础活动,其实质是对生产现场的环境进行全局性的综合考虑,并实施可行的措施,即对生产现场实施规范化管理,以提高效率,保证质量,使工作环境整洁有序,预防为主,保证安全。

(二)6S 管理实施的原则

为确保 6S 管理长期有效地推行下去,企业要遵循以下原则,通过开展安全、整理、整顿等形式化的基本活动,使之成为制度化、规范化的现场管理。

1. 持之以恒的原则

6S 管理是基础性的,所以开展起来比较容易,并且能在短时间内取得一定的效果,正因为这个原因,6S 管理在取得一定效果后,也容易流于表面的形式,无法做到不断优化和不断提高生产效率。因此将 6S 管理作为日常工作的一部分,天天坚持,才能将其持之以恒地进行下去。

2. 持续改进的原则

随着新技术、新工艺、新材料的应用以及市场的变化,生产现场也在不断地变化。这就要求所进行的 6S 管理也应当随之不断地改进,以满足其生产的需要。

3. 规范、高效的原则

6S 管理通过对现场的整理、整顿,将现场物料进行定置定位,打造一个整洁明亮的环境,其目的是实现生产现场的高效、规范。只有实现不断提高生产效率的 6S 管理才是真正有效的现场管理。

4. 自己动手的原则

管理有限,创意无限,良好的工作环境需要现场员工的创造和维护。充分激发员工的创造性,自己动手改造现场环境,也会改变自己对现场管理的看法,从而不断提升自身的素养。

5. 安全的原则

安全是现场管理的前提和决定因素,没有安全,一切管理都失去意义。重视安全不仅可以预防事故发生,减少不必要的损失,更是关心员工生命安全、保障员工生活幸福的人性化管理要求。

(三)6S 管理的过程控制

6S 管理要获得预期的效果,企业应当适时进行必要的过程控制,以充分暴露生产现场中的不足与问题,及时采取必要的纠正措施,促使其不断改进并持之以恒地进行下去。

1. 安全管理控制

安全管理控制一般从三个方面进行。一是现场安全管理,就是依据安全生产法律法规、企业的规章制度、安全技术操作规程等,通过对人员、作业方法、作业环境的安全管理与监督,以保证现场的安全。二是人员现场管理,其重点在于合理安排工作时间,严格控制加班加点,防止疲劳作业,通过对作业人员安全行为的约束和管理,促进员工在作业中相互监督、相互保护,提高自我管理、自我约束和自我改进的能力。三是设备现场管理,其重点是监督检查现场生产人员是否严格按设备操作规程使用、维护设备,这是确保安全生产物质基础的有效手段;在实际作业中,操作人员要切实掌握加工工艺方法,严格遵守操作规程,对不合理的或不安全的加工方法应及时反映,通过不断改进,使之更加条理化和安全化。

2. 现场作业环境控制

现场作业环境控制,就是检查作业现场是否保持清洁安全、布局合理,设备设施保养完好、物流畅通等,这不仅反映出现场人员的日常工作习惯和素养,还反映出现场 6S 管理的水平。

3. 定置定位的控制

现场物料定位定置一旦确定,管理工作就相对稳定,应及时纳入标准化管理,解决现场定置管理的"长期保持"问题,同时还应当建立与定置管理运作特点相适应的、按定置图核查图、物料是否相符的现场抽查制度。现场抽查时,不允许有任何"暂时"存放的物料,这种"暂时"一般暴露两个方面的问题:一是可能该物料没有按定置管理的规定存放到规定的位置;二是可能该物料没有列入定置管理。

4. 持续改进的控制

持续改进的控制就是指对生产现场管理中存在的缺陷与问题进行分析研究,采取必要的纠正措施,加以改进,以达到提升企业现场管理水平的目的。通常有下列两个方面的问题需要改进:一是现场抽查中暴露的问题,如有些物料没有列入定置管理,或定置不合理;二是随新产品生产的需要,新工艺的应用,原有的定置管理已经不适用,这种改进需要根据新的生产流程,重新设计部分现场物料的定置,方能保证现场定置管理的长期有效地进行下去。

第五节　安　全　检　查

一、安全检查的目的和意义

安全检查是企业安全工作的一个重要内容,是发现生产活动中的事故隐患和消除不安全因素的一个主要方法。安全检查的目的是建立健全安全生产事故隐患排查治理机制和落实安全生产责任制,了解企业各部门、各车间的安全管理情况,发现生产现场不安全的物质(设备、设施、工具、附件等)、不安全的工作环境、不安全的操作行为和潜在的职业危害,以便采取措施,及时消除事故隐患,及时纠正、防止伤亡事故和职业病的发生,保护员工在生产过程中的人身安全和职业健康,确保生产经营顺利进行。通过全面的、经常性的安全检查,将检查情况加以综合,进行系统的全面分析,从而可以总结出安全管理上的经验,也可以找出安全管理上的薄弱环节,对企业的安全管理工作作出评价。安全检查实质是一种群众性的思想教育,通过安全检查可以提高各级领导和广大职工对安全重要性的认识。

二、安全检查示意图(图 3-1)

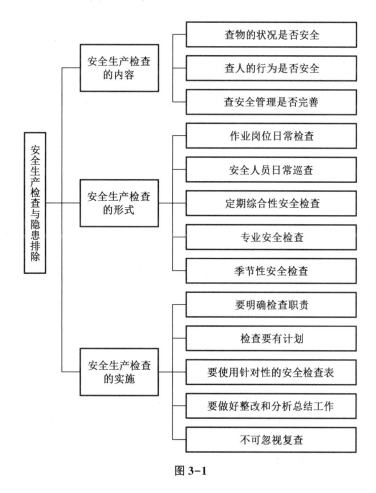

图 3-1

三、安全检查的实施

(一)定期安全检查

1. 安全生产日检查

每天上岗前,班组全体人员应对作业环境、设备的安全防护装置、工夹具及个人防护用品穿戴和遵章守纪情况进行全面检查,并根据安全生产检查表的要求,逐条进行对照。下班后应检查电源、气源、水源是否切断,火种是否熄灭,确认安全后方可离开岗位。班组长、劳务队现场负责人要对布置工程任务时进行的安全措施交底落实情况及施工人员的行为规范进行检查、督促整改。单船安全主管按规定对全船安全、消防进行全面检查、排查,消除安全隐患和不安全因素。

2. 安全生产周检查

各部门(车间)每周组织人员进行至少一次安全检查,检查生产现场是否存在不安全状态的物质和操作人员是否存在不安全行为以及违反安全操作情况;检查各种设备安全运行和维护情况;检查各种安全设施以及危险品的使用、管理情况;检查现场文明生产情况和现场6S工作到位情况。单船项目管理组每周至少一次对全船安全生产状况进行现场巡查和施工检查,掌握真实情况,布置落实整改措施。

3. 安全生产月度检查

每月底由安全管理部门组织、公司领导和相关部门长参与,对全厂的生产区域、设备设施和仓库等进行安全检查,主要检查安全规章制度、文明生产、各部门安全工作的落实情况,检查现场安全行为规范、安全卫生状态,检查现场安全控制措施、重要场所及设备设施安全隐患等。检查结束后整理列出发现的问题清单,提出整改措施和计划,并布置各单位落实执行。

(二)专项安全检查

1. 专业性安全检查

专业性安全检查是根据企业生产的特点和设备具体状况以及伤亡事故的实际等,确定单项专业性安全检查,专业性安全检查必须由专业工程技术人员参加。其主要包括电气安全检查,起重机械安全检查,车辆安全检查,化学危险品安全检查,有毒有害、易燃易爆作业安全检查,防火防爆安全检查,脚手架、安全网安全检查,防高处坠落措施安全检查,氧气站、乙炔站、煤气站、空压站、变电站、加油站、氧气瓶、乙炔瓶、液化气瓶、锅炉房等安全检查。

2. 季节性安全检查

季节性安全检查是根据季节性特点,开展季节性专项安全生产检查,如每年夏季来临前对防暑降温的设备、设施、物资等措施的检查;台风季节对防风防台的准备工作落实情况检查;雷雨季节要进行安全用电如查电气线路、用电设备装置、防雷设备、接地装置情况等的检查。冬季要进行防冻保暖、防火安全检查等。

3. 节假日和重要敏感时期的安全生产大检查

节假日和重要敏感时期的安全生产大检查指的是春节、国庆节、"五一"节前后由安委会组织进行的安全检查,由公司领导带队,对主要生产区域和重点站房进行的安全大检查,同时还应把职工的思想情绪当作安全检查的内容。具体检查内容:安全规章制度和安全操作规程教育培训和执行情况;安全生产工作布置"五同时"落实情况;现场作业、站房和重点要害部位安全防范措施的落实情况;事故隐患的检查整改、违章作业人员的处理等。

4. 职业安全健康管理体系内审、管理评审及外审

内部审核一般对体系的全部要素进行全面审核,旨在评价体系的有效性。内审一般每年进行一次,当出现特殊情况时可追加内审。内审由管理者代表组织实施,由企业中经过培训的内审员参与,必要时也可请外单位有审核资格的人员参加。

管理评审一般每年进行一次,也可随内、外部条件的变化而及时进行管理评审;管理评

审是由企业的最高管理者对职业安全健康现状进行评价,以确定职业安全健康方针、职业安全健康管理体系是否仍适合于职业安全健康目标、职业安全健康法规和变化了的外部条件。管理评审的内容包括:内部审核报告;方针、目标、计划(方案)及其实施情况;事故调查、处理情况;不符合、纠正和预防措施落实情况;相关方的投诉、建议及要实施管理体系的资源(人、财、物)是否适宜;体系要素及相应文件是否修订;对体系有效性的评价等。

安全管理体系外部审核由具有该体系审核资质的第三方机构负责派驻审核员进行审核,通过体系文件审查及现场检查等手段,综合评价安全管理体系运行的符合性、有效性,提出不符合项的整改意见和建议,有必要时进行复审。

(三)安全检查的要求和记录

(1)安全检查的内容主要包括员工作业过程中的行为规范、作业环境、环境保护、消防安全、职业健康方面的检查。

(2)检查人员应认真负责,坚持原则,敢于揭露问题,对检查出的所有隐患问题应督促责任单位采取措施,并提出限期整改的要求,直至整改完毕。

(3)安全检查必须做好记录,参加检查人员必须签到。对检查发现的隐患应书面通报,并限期整改。责任单位应按要求组织整改,并书面反馈整改情况,由组织检查单位做好验收和闭环,相关检查记录和闭环证据留底存档。

(4)在安全检查过程中发现违章作业、违章指挥和冒险作业的情况应立即制止,必要时可对违章单位或违章者进行停工。视情节严重程度,将按安全生产奖惩管理办法的有关规定给予考核。

(5)须整改的项目因客观原因、实际情况不能立即整改的,应在落实临时安全措施的前提下定好整改措施、定好整改日期和定好整改责任人(简称"三定"),加强管理、检查、督促,直至整改项目完成。

四、现场安全检查的注意事项

现场安全检查对现场安全工作的促进落实与持续有效具有非常重要的作用,必须高度重视,确实做到现场安全检查不仅要留有痕迹,更要保证实效,以保证现场安全生产状况达到预期的效果。

1. 委派专业的人员进行现场安全检查

现场安全检查的目的就是验证现场的行为与状态是否符合公司的安全生产管理规章制度,及时发现、制止不合规的行为或状态,并督促整改到位,若委派不专业的人员去检查现场安全状况,则无法做到及时发现不合规的行为或状态。

2. 做好现场安全检查策划、准备工作

现场安全检查是一项系统性工作,从策划、准备、实施、总结、整改到复查,缺少任何一个步骤都难以达到预期效果。因此,不论是临时性的(突击性的),还是有计划性的,都要在检查前做好充分的准备工作,以确保现场的安全检查"有效、有质量"。

3. 弄清楚现场有哪些具体的区域或场所

了解、熟悉现场安全管理范围都覆盖哪些场所是有效安全检查的前提,要根据平面布局图提前做好现场安全检查的路线或行程,确保现场安全检查"纵向到底、横向到边"。

4.弄清楚现场有哪些作业活动类型

安全检查前要了解、熟悉现场有哪些作业活动类型,按照现场平面布局图排列一个检查顺序,同时要清楚每一类作业活动现场的具体负责人,以便在安全检查时能随时与对应的具体负责人沟通交流,便于检查后现场负责人督促整改和在后续的自我管理中有所侧重、有所改善。

第六节　班组安全管理

一、班组安全管理的重要性

企业安全管理起决定作用的因素有两点,一是各级领导和全体员工牢固树立"安全第一、预防为主、综合治理"的指导思想,真正重视安全管理工作,把安全管理作为一项硬指标、否决项列入企业管理责任制的考核内容,确实落实各项安全管控措施;二是安全管理的各项工作必须紧紧围绕着生产一线这个中心开展才能有效,安全规章制度及管控措施只有落实到生产一线的具体"物"和"人",才能有效避免各种灾害事故的发生。据有关统计,企业安全事故发生在班组的概率达90%以上,也就是说10起事故有9起发生在班组。而导致事故发生的原因分析表明:物质因素占17%,管理因素占8%,人为因素(即违章指挥、违章作业、或未及时发现并消除安全隐患)占75%。这就清楚地告诉我们,控制事故的关键是对人的管理,最基本的环节是狠抓班组安全管理。因此,建立班组安全管理制度,明确班组长、安全员及班组成员的安全生产职责,加强班组安全生产管理,增强员工自我防护和群体防护能力,有效扼制生产安全事故,提高班组安全管理水平极其重要。

二、班组安全管理内容与程序

(一)班组长应具备的素质和能力

(1)具有较好的文化水平,思想进步,责任心强,身体健康;

(2)具有本职工作的相关技能,能独立解决本职范围的安全生产技术问题;

(3)具有组织开展班组危险源辨识的能力,熟悉本班组存在的危险源及其防护措施;

(4)熟悉本职工作的安全生产知识,对生产中存在的安全隐患能及时发现和采取整改措施;

(5)具有一定的组织管理和安全管理知识,具有良好的组织协调能力,具有较强的团队精神,人际关系良好。

(二)班组安全建设内容

1.建立健全班组组织机构和职责

(1)班组长是班组安全生产第一责任人,对班组的安全生产工作全面负责。其主要职责包括:贯彻落实国家安全生产法律法规、公司各项安全生产管理规定;正确处理安全和生产之间的关系,做到安全生产"五同时";制定班组年度安全生产目标,落实班组安全生产责任制;班前、班后清点班组人员,并做好相关记录;组织开展班组日常安全教育、安全检查,及时处理各类违规违章和事故隐患,协助进行事故调查、分析和处理;负责本班组成员的安全绩效考核、各类先进的推荐与评比。

(2)班组应明确专/兼职安全管理人员,协助班组长做好班组的安全生产工作。其主要职责包括:协助班组长做好本班组的安全生产工作,及时传达、落实各项安全管理要求;督促、指导班组成员履行岗位安全生产职责、遵守安全操作规程和其他各项管理要求;参与本班组成员安全绩效考核、各类先进的推荐与评比;组织开展本班组各种安全活动,做好日常安全工作记录。

(3)班组长在布置作业内容时,应同时布置与作业内容相关的安全措施及要求。

(4)班组成员应严格遵守岗位安全生产职责、安全操作规程和其他各项管理要求,参与班组安全生产自主管理,服从班组长和兼职安全管理人员或安全督导人员的督促指导。

2. 认真履行班组安全责任制

(1)班组应依据公司安全管理规章制度的要求,执行并落实岗位作业标准、班组安全培训制度、班组安全检查制度、现场应急处置方案和6S管理要求,建立适用于本班组的安全管理制度,应包括:班组安全职责;工种(岗位)安全操作规程;班组安全教育制度;班组安全检查制度;班组安全例会制度;班组安全绩效考核制度;班组6S管理制度;其他相关班组管理制度。

(2)班组应根据作业内容和特点,签订有针对性的安全生产责任书。

(3)班组应明确年度安全生产目(指)标,并每月对指标完成情况进行监测。

3. 强化班组安全生产教育培训

(1)班组长、专(兼)职安全员、新入职、转岗、复岗及特种作业人员的安全教育和培训应符合公司的规定,经一定学时的安全培训合格后,方可上岗。

(2)各班组每周应至少进行一次安全学习活动,每班均应召开班前例会,并保持记录。班前例会内容一般应包括:班组成员对个人劳动防护用品正确穿戴情况进行自查,班组长进行督察;班组成员应对操作工具、作业环境、作业设备进行安全自查,班组长进行督察;班组长观察班组成员身体健康和情绪状况;安排当班工作时同时布置有关安全生产要求(即安全交底);根据需求,选择学习公司或部门有关安全管理制度、安全管理规定、安全操作规程、事故案例等。

(3)各班组应建立有效的特种作业人员持证台账,确保班组特种作业人员持证上岗。

(4)各班组应积极开展日常安全"点检""巡检"活动,并做好相关记录。

(5)各班组应按照公司或部门要求,积极参与公司或部门组织的各项安全活动。

4. 认真组织开展危险源辨识、作业风险评估和隐患排查工作,做好安全检查与整改工作

(1)各班组应定期开展危险源辨识、作业风险评估活动,应根据危险源辨识、作业风险评估结果建立班组危险源和风险管控台账,并采取相应的控制措施,危险源和风险管控清单应同时报送上级安全管理部门。本班组无法独立采取控制措施时,应及时报告上级安全管理部门,全体班组成员均应熟悉本班组及本岗位的危险源、作业风险及其控制措施。

(2)各班组应开展危险有害因素和职业病危害因素的辨识,制定本班组的危险有害因素和职业病危害因素台账,并采取相应的控制措施,本班组无法独立采取控制措施时,应及时报告上级安全管理部门,并按要求进行安全交底,实施安全动态管理和生产过程控制。

(3)各班组应坚持每班进行班前、班中和班后安全检查,班组成员应对个人劳动防护用

品正确穿戴情况进行自查,对操作工具、作业环境、作业设备进行安全自查,班组长进行督察,并做好相关检查记录。

(4)班组长和专(兼)职安全管理人员应对本班组生产区域和作业活动区域进行动态巡查,及时纠正各类违章行为和事故隐患,并保持记录。

(5)各班组应组织开展个人无违章、岗位无隐患、班组无事故和不伤害自己、不伤害他人、不被他人伤害、保护他人不被伤害的专查、自检、互查活动,形成班组安全互保、联保机制。

(6)对检查中发现的隐患或问题,应按照定措施、定时间、定责任人的原则,及时落实整改,坚决做到闭环管理,并验证整改效果。

5.班组作业区域安全管理

(1)班组应实施6S管理(整理、整顿、清扫、清洁、素养、安全)。

(2)作业现场物料、设备等应合理堆放,做到工完、料清、场地净,确保工具、物料规范放置,安全标志清晰,安全通道畅通。

(3)班组共用或个人保管使用的设备、电动(移动)工具、吊索具等应加强日常检查和维护,确保其安全性能良好。

(4)作业区域和现场通道应保持畅通、无障碍物、无污物、无泄漏。

(5)应检查作业区域的危险作业部位或场所,存在危险源的场所以及可能产生危险有害因素和职业病危害因素的作业岗位,检(维)修、施工、吊装等作业现场,是否已经设置相应的安全警示标志或(和)是否已经采取相应的安全防护措施。

(6)遵守安全操作规程,不违章指挥,不违章作业,不违反劳动纪律,正确使用劳动防护用品。

6.班组生产安全事故管理和应急管理

(1)班组应定期开展危险源辨识(或作业风险分析),班组成员应熟悉作业岗位的危险因素、控制措施及现场应急处置方案。

(2)班组应每半年组织开展一次有全体成员参加的现场各类事故的应急处置方案演练活动,做好活动记录及总结,并对事故现场应急处置方案的有效性进行评价。

(3)当发生各类事故时,应按照公司要求立即逐级报告,妥善做好现场应急处置,积极组织自救,并保护好事故现场。积极协助和配合事故调查,按"四不放过"原则组织班组全体人员认真分析、吸取事故教训、落实防范措施。

7.班组安全绩效

班组在日常安全管理工作中,应借鉴、运用先进的理念和方法,积极倡导优秀的班组安全文化,形成富有特色、行之有效的班组安全管理制度和经验,实现班组安全管理目标。

三、检查与考核

(1)公司应建立班组建设管理制度,将安全生产作为班组管理绩效的主要考核项目,在各类创先评优活动中实行安全一票否决制。公司应定期组织对班组进行安全绩效考核,其结果与经济奖惩挂钩。

(2)各班组在日常安全管理工作中,应借鉴、应用先进的经验和方法,积极倡导安全文化建设。对安全管理有特色、有成效的班组,公司应给予表彰。

第七节　项目安全管理

一、项目安全管理的定义

项目安全管理,就是在项目实施过程中,组织安全生产的全部管理活动。通过对项目实施安全状态的控制,使不安全的行为和状态减少或消除,不引发为事故,以使项目工期、质量和费用等目标的实现得到充分的保障。

二、项目安全管理基本原则

(一)管生产必须管安全

安全管理是生产管理的重要组成部分,安全与生产在实施过程中存在着密切的联系,存在着进行共同管理的基础。国务院发布的《关于加强企业生产中安全工作的几项规定》中明确指出:"各级领导人员在管理生产的同时,必须负责管理安全工作"。由此可见,一切与生产有关的机构、人员,都必须参与安全管理并在管理中承担责任。

(二)明确安全管理目的

安全管理的内容是对生产中的人、物、环境因素状态的管理,有效地控制人的不安全行为和物的不安全状态,消除或避免事故,达到保护劳动者的安全与健康的目的。没有明确目的的安全管理是一种盲目行为。盲目地安全管理,只能纵容威胁人的安全与健康的状态,向更为严重的方向发展或转化。

(三)贯彻预防为主的方针

安全生产的方针是"安全第一、预防为主、综合治理"。安全第一是从保护生产力的角度和高度,表明在生产范围内安全与生产的关系,肯定安全在生产活动中的位置和重要性。在生产活动过程中,经常检查、及时发现不安全因素,采取措施,明确责任,尽快地、坚决地予以消除,是安全管理应有的鲜明态度。进行安全管理不是处理事故,而是在生产活动中,针对生产的特点,对生产因素采取管理措施,有效地控制不安全因素的发展与扩大,把可能发生的事故消灭在萌芽状态,以保证生产活动中人的安全与健康。

(四)坚持"四全"动态管理

安全管理不是少数人和安全机构的事,而是一切与生产有关的人共同的事。缺乏全员的参与,安全管理不会有好的效果。安全管理涉及生产活动的各个阶段,从开工到竣工交付的全部生产过程,因此,生产活动中必须坚持全员、全过程、全方位、全天候的动态安全管理。

三、管理要求与程序

安全管理是为项目实现安全生产开展的管理活动,施工现场的安全管理重点是进行人的不安全行为与物的不安全状态的控制,落实安全管理决策与目标。以消除一切事故,避免事故伤害,减少事故损失为管理目的。

（一）项目组织与策划

（1）为落实项目安全、消防措施,由各部门委派人员组成项目组,全权负责项目施工过程的安全生产、消防安全管理工作。要建立项目安全生产责任制,从项目经理到工人的生产系统做到纵向到底,一环不漏;各相关部门、人员的安全生产责任做到横向到边,人人负责。项目经理是项目安全管理第一责任人,项目组其他成员在各自业务范围内,对安全生产负责。

（2）项目组要根据具体的工程项目、作业部位做好安全策划工作,制定安全作业计划书,并发放到相关单位。

（3）项目组要对重点部位施工制定突发事件应急预案。

（二）劳保防护用品使用:

（1）身体防护——劳保服;
（2）头部防护——安全帽;
（3）高坠防护——安全带;
（4）眼睛防护——护目镜;
（5）听力防护——耳塞;
（6）呼吸系统防护——口罩/呼吸器;
（7）足部防护——安全鞋;
（8）手部防护——手套。

（三）安全会议

（1）项目日例会:每天早上项目组成员与施工单位负责人等召开项目安全生产协调会,通报每天的安全情况,协调产生冲突的作业。

（2）安全风险分析会（JSA会议）:对于需要进行作业风险分析（JSA）的作业,在作业前由项目经理组织召开,项目组成员、施工单位负责人参加,当天例会上发布信息。作业安全风险分析会流程如图3-2所示。

（四）作业许可证管理

对一些特殊作业和高风险作业,要执行作业许可审批制度,作业许可审批完成后要悬挂在作业现场。通常对一种特殊的作业或者在特殊位置的作业,必须经过作业许可证来控制危险源以达到安全作业的目的。作业许可证主要用于可预见的危害和能帮助解决有冲突危害的作业及控制员工和承包商作业,确保安全作业信息的有效传递,例如热工作业、有限空间作业、涂装作业等必须遵守公司作业许可证管理制度。

（五）安全过程监控

在项目建造或修理过程中,为更好落实安全生产责任制,从严贯彻"安全第一、预防为主、综合治理"方针,规范、完善项目施工策划、申报、审批手续,落实各级各类人员安全责任和各项防范措施;为避免因不同工种之间交叉作业产生安全隐患或安全事故,使项目能安全进行,必须加强项目安全过程管控。重点管控的方面有:热工作业、有限空间作业、搭架作业、高处作业、涂装作业、电气作业、起重运输作业、船舶水上作业、设备和工具管理、作业协调、6S 管理、综合治理等,以上施工作业必须严格按照公司安全管理规定和安全技术要求进行,确保安全。

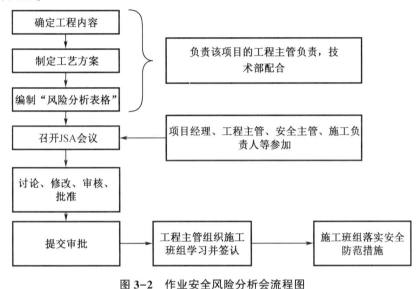

图 3-2　作业安全风险分析会流程图

(六)安全检查

(1)日检:管理人员将对船上作业及涉及到的内场作业进行安全巡查。

(2)周检:每周一次,由项目经理、安全主管、各工程主管组成检查小组;检查结束后所有参加检查人员集中,通报检查的相关信息并落实到责任人整改。

(3)班后检查:由各对应施工班组长或带班组织实施、安全管理人员和工程部监督,针对施工现场班后作业后的安全检查,并由班组长落实好记录及整改措施。

(4)专项检查:针对不同项目,在危险性增加时组织专项安全检查,如雨后用电安全检查,作业架专项安全检查,起重作业安全检查。

四、项目经理安全生产管理"十大要点"

项目经理是工程项目的核心管理者,也是项目安全生产的第一责任人。项目经理的安全生产管理能力直接影响着项目的质量、进度、成本和效益,更关系到项目参与者的生命财产安全。因此,项目经理必须高度重视安全生产工作,认真履行安全生产职责,做到以下十个方面:

1.贯彻安全生产法规和标准

项目经理应当熟悉和遵守国家和地方的安全生产法律法规、行业标准和规范,以及公司的安全生产规章制度,将安全生产作为项目管理的重要内容,确保项目施工符合安全生产的要求。

2. 建立安全生产责任制

项目经理应当根据项目的特点和规模,制定和实施安全生产责任制,明确项目管理人员和施工人员的安全生产职责,实行安全生产奖惩制度,落实安全生产责任到人。

3. 制定安全生产计划和预案

项目经理应当根据项目的施工进度和安全风险,制定和执行安全生产工作计划,按规定组织制定和演练安全生产应急预案和现场处置方案,提高应对突发事件的能力。

4. 保证安全生产条件

项目经理应当保证项目施工现场具备必需的安全文明施工条件,包括安全管理机构、专职安全员、安全生产设施设备、安全应急救援设备等,为安全生产提供有力的保障。

5. 开展安全生产教育培训

项目经理应当组织开展针对项目参与者的安全生产教育培训,提高他们的安全意识和技能,使他们更加了解和熟悉本项目的安全生产要求、应急预案和现场处置方案,增强安全生产的自我保护能力。

6. 实施安全生产监督检查

项目经理应当定期或不定期地对项目施工现场进行安全生产监督检查,发现和消除安全生产隐患,防止安全生产事故的发生,并将监督检查的情况作为安全生产考核的依据。

7. 实施安全生产管理措施

项目经理应当根据项目的安全生产风险,制定和实施安全生产管理措施,包括安全生产技术措施、安全生产组织措施等,并对安全生产管理措施的执行情况进行跟踪和评估,及时调整和完善。

8. 报告和处理安全生产事故

项目经理应当在规定的时限内如实报告项目发生的安全生产事故,按照安全生产应急预案和现场处置方案,及时组织开展现场救援,控制事故的发展,保护现场的完整,协助有关部门进行事故的调查和处理。

9. 加强分包单位和临时用工的安全管理

项目经理应当对分包单位和临时用工的安全生产管理工作进行指导和监督,将其纳入项目的安全生产管理体系,定期考核,对违反安全生产规定的行为进行处理。

10. 关注职业健康和环境保护

项目经理应当将职业健康和环境保护工作与安全生产工作同等重视,同步规划、同步部署、同步落实、同步检查、同步考核,采取有效的措施,防止项目施工对项目参与者的身体健康和周围环境造成不良影响。

第八节 劳务队安全管理

一、劳务队的重要性

劳务队是指具有独立法人资格,有相应工程承揽和管理资质并与公司签订年度工程承揽协议或临时承揽工程协议,在公司指定的地点和项目从事船舶修造工程的专业施工单位。船舶修造属于劳动密集型行业,机械化程度低,大量使用劳务工队伍。一方面,劳务队已经成为船舶修造企业的主力军,为推动船舶工业的快速发展起到积极作用,也为地方经济发展、就业和社会稳定作出重要贡献；另一方面，由于劳务队的管理比较松散，人员流动大，施工的质量、安全等难以保障，也带来很多突出问题，如安全事故频繁发生，急需解决。为此，企业必须高度重视劳务队的管理：一是更新理念认识，更加重视对劳务队的管理，把劳务人员纳入企业员工系列进行管理，提升劳务人员的作业积极性和主人翁热情，增强劳务人员对企业的认同感和归属感；二是创新管理，要在劳务队选用、培训、管理、绩效考核等方面不断探索、改进，提高整体管控水平；三是强化监督落实，要从归口管理、过程监控、明确奖罚等方面全面落实好劳务队管理，确保每一个环节都跟得上、不错位、有效果。

二、劳务队安全管理的原则

1. 合法规范、合作共赢的原则

对劳务队的管理必须遵守国家法律、法规和有关政策规定，要树立严管善待、合作共赢的思想，根据企业经营生产的实际情况制定行之有效的安全管理办法和实施细则。

2. 分级管理，权责明晰的原则

构建公司、部门、项目组三级管理体系，公司负责劳务队的资格准入、年审；部门负责劳务队伍的选用、安全协议签订、安全教育培训、安全检查及考核等；项目组负责劳务队的施工作业安全管理及评价等。

3. 扶强弃弱，质量、安全为先的原则

在使用劳务队方面，坚决贯彻"扶强不扶弱"的选择和培育理念。公司对劳务队实行宏观控制和统筹管理，严格控制劳务队伍的数量，选择管理规范、安全生产有保障的队伍，着重提高劳务队的综合素质和能力，重点培养和扶持能与公司共同发展的劳务队伍。

三、安全管理要求与程序

(一)管理要求

(1)劳务队必须具备以下资质条件：

①具有法人资格，依法纳税、参与保险和生产经营，所从事的劳务项目与其生产经营业务一致。

②有完整的安全管理组织体系，安全生产规章制度健全。

③具有承揽专项工程能力。

④安全教育和特种作业人员的安全技术能力符合修造船企业和劳动部门等有关方面的要求。

⑤生产能力和技术水平达到工程项目要求。

⑥个人劳动防护用品(具)齐全。

⑦作业人员年龄符合国家规定，身体健康，没有所从事作业的禁忌症或生理缺陷。

(2)劳务队不得将承揽的工程转包或分包给其他单位。

(3)要加强对劳务队的综合管理，严格做好劳务队及其作业人员的资格审查。公司、部门和项目组实行分级管理，并定期组织劳务队召开安全例会，定期交流情况，对劳务队进行安全生产工作的总结、评比和表彰。

(4)劳务队队长为本队的安全生产第一责任人，对本队的安全生产负责。

(5)劳务队必须配备注册安全主任或督导员一名,并按在册人数的2%配备专职安全管理人员;不足50人的劳务队可设专职或兼职安全管理人员,兼职安全管理人员必须以从事安全管理工作为主。安全管理人员必须经过相应的专门培训,取得安全生产监督管理部门颁发的资格证书才能上岗。

(6)劳务队作业人员必须按规定配备必要的劳动防护用品,不配备不得上岗作业。

(7)劳务队作业人员必须保持稳定,不能任意调换作业人员,确因需要调换的,必须征得劳务队的归口管理部门的同意。

(8)劳务队作业人员在工作和生产过程中必须严格遵守公司安全、消防制度、安全技术操作规程、劳动纪律等各项制度,接受公司各级管理人员的指导、监督、检查,及时整改事故隐患。

(9)劳务队作业人员在易燃易爆、禁火区域、船舶要害部位动用明火作业时,必须事先向安全部门办理动火申请手续,落实安全防火措施,经安全部门批准后方可进行明火作业。

(10)劳务队要合理安排作业,搞好均衡生产,认真贯彻执行"五同时"(即在计划、布置、检查、总结、评比生产工作时,同时计划、布置、检查、总结、评比安全工作)。

(11)劳务队自备的设备、设施、工具等必须符合安全要求。如要使用工程发包单位的设备、设施、工具等,必须经工程发包单位批准,办理借用、验收手续。严禁私自动用工程发包单位的设备设施工具等。

(二)安全教育

(1)劳务队队员必须经过公司三级安全教育,取得公司安全管理部门签发的"三级安全教育情况登记卡"方可上岗作业。劳务队必须建立队员安全教育台账。

(2)劳务队特种作业人员,必须经过专门培训,取得特种作业操作证方可上岗作业。

(3)劳务队必须认真对本队员工进行安全生产制度、安全技术及"三不伤害"教育,督促本队员工自觉遵守安全生产制度和法规,不断提高本队员工安全生产意识和自我保护能力。

(三)事故管理

(1)劳务队发生工伤事故后,必须保护好事故现场,立即采取有效措施组织抢救,积极协助有关部门调查事故原因。未经上级有关部门同意,任何人不得破坏现场。

(2)劳务队发生工伤事故后,必须按规定报上级公司安全管理部门和上级主管部门不得隐瞒和谎报。

(3)劳务队发生工伤事故后,必须根据"四不放过"原则,认真查找事故原因,提出防范措施和处理意见,落实整改。

(4)劳务队发生的工伤事故,由劳务队统计工伤指标并负责相关费用。

四、检查与考核

(1)归口管理部门应按照公司有关安全管理规定监督检查劳务队的安全协议的执行情况,不定期检查劳务队的施工现场,对违章违规等不符合要求的情况提出整改意见,对整改不力的情况作出处理。

(2)人力资源部要建立严格的考核制度,对管理混乱、事故多发的劳务队应予以辞退。

安全管理培训 PPT

新员工安全教育

SBM 生存法则

6S 管理

班组安全管理

项目管理

第四章 事故应急管理与处置

第一节 事故应急管理

在船舶修造过程中,存在着各种能量和有害物质,由于自然、人为或技术等因素,一旦发生重大事故,往往会造成惨重的人员伤亡、财产损失和环境破坏。因此,企业必须重视收集、整理常见的安全事故案例,并进行分析、研究,建立事故应急管理系统,制订应急救援预案,加以培训、演练,提高突发事故发生时的应对、处理能力,及时有效地实施应急救援行动,有效减少人员和经济损失,最大限度地减少危害和影响,促进和谐社会建设。

一、基本概念

(1)应急救援:针对突发、具有破坏力的紧急事件采取预防、预备、响应和恢复的活动与计划。

(2)应急救援预案:针对可能发生的事故,为迅速、有序地开展应急行动而预先进行的组织准备和应急保障。

(3)现场处置方案:是针对具体装置、场所或设施、岗位所制定的应急处置措施。

(4)应急救援报告:针对已发生的紧急事件采取措施进行的记录。

(5)应急救援演练:是建立在危机应急预案基础上,对已制定的应急预案进行演习,并从演习中找到预案需改进的地方,以及锻炼各相关人员应对危机的能力。

二、应急机构和职责

1. 公司应急指挥中心

公司应急指挥中心是事故应急管理工作的最高领导机构。公司总经理担任救援总指挥,公司分管安全的副总经理担任救援副总指挥。总指挥不在公司时,由副总指挥担任临时总指挥。当总指挥、副总指挥都不在场时,由总指挥授权在公司主持工作的其他领导担任临时总指挥。指挥中心成员由安全管理部、公司办公室、保卫部、生产管理部、生产保障部、人力资源部、党群工作部、财务部、事发单位等组成。其主要职责如下。

(1)接受上级公司和地方政府主管部门的领导;

(2)审定并签发本公司应急救援预案;

(3)下达应急预案的启动和终止命令;

(4)统一协调本公司应急资源;

(5)在应急处置过程中,负责向地方政府部门求援或配合政府应急工作;

(6)审批本公司应急救援费用。

2. 安全管理部

安全管理部是公司应急管理的归口管理部门,公司应急指挥办公室设在安全管理部,负责公司应急预案体系的建设和报备,年度应急演练计划的编制,事故救援的指挥、协调。其主要职责如下。

(1)跟踪并详细了解本公司发生的安全事故应急处置情况,及时向公司应急指挥中心汇报、请示并落实指令;

(2)参与现场应急处置工作;

(3)负责组织协调医疗救护等救援力量;

(4)按照公司应急指挥中心的指令向地方政府主管部门报告和求援;

(5)负责公司应急指挥中心交办的其他工作。

3. 生产管理部

(1)负责协调起重运输设备、拖轮等应急救援力量;

(2)负责组织码头船舶停靠调度;

(3)参与现场应急处置工作。

4. 生产保障部

(1)参与现场应急处置工作;

(2)负责应急救援设备设施使用过程中的检测、抢修工作,确保现场的正常使用;

(3)负责应急救援设备设施使用后的完好性检查,确保完好入库;

(4)负责应急救援设备设施的检查、维护、保养工作。

5. 各生产单位

各生产单位针对本单位的生产特点和作业场所的重要危险源,制定专项应急预案或现场处置方案并组织演练,负责本单位的应急队伍建设和应急物资的配备,实施事故救援。

6. 其他部门

公司其他部门负责本部门在应急管理职能分配中的相应职责,按应急指挥中心的指令开展相关工作。

7. 应急救援专业队伍

(1)通信联络组:公司办公室、安全管理部、事发单位等指定人员。

(2)治安保卫警戒组:保卫部、保安队、治安员。

(3)消防救助组:专职消防队和义务消防队。

(4)抢险抢修保障组:生产保障部和事发单位及相关专业工种人员。

(5)应急疏散组:事发单位、安全管理部安全员。

(6)医疗救护组:与公司签订有医疗服务协议的医疗机构的医护人员。

(7)后勤保障组:生产保障部相关人员。

(8)技术专家组:安全管理部、技术中心、事发单位等相关人员。

(9)宣传维稳组:公司办公室、党群工作部、人力资源部、法务部、保卫部等单位相关人员。

(10)善后处理组:工会办公室、组织人力资源部、法务部、事发单位等相关人员。

(11)各单位内部可根据本单位的生产情况,由相关专业人员组建应急救援队伍。

三、应急预案制定

安全管理部组织相关部门按照本公司安全生产特点,依据国家相关法律、法规及规章,编写科学、完善、实用的应急预案并组织应急演练。应急预案体系由综合应急预案、专项应急预案和现场应急处置组成。专项应急预案包括火灾、爆炸事故专项应急预案,高处坠落事故专项应急预案,触电事故专项应急预案等。

(一)应急预案的编制

1. 遵循的原则

(1)明确目标。应急预案应以努力保护人身安全、防止人员伤害为第一目的,同时兼顾设备和环境的防护,尽量减少灾害的损失程度。

(2)科学性。制定预案必须以科学的态度,在全面调查研究的基础上,实行领导和专家相结合的方式,开展科学分析和论证,制定出严密、统一、完整的应急救援预案,保障预案的科学性。

(3)实用性。应急预案应结合实际,措施明确具体,具有很强的可操作性,不搞纸上谈兵。

(4)权威性。应急预案应明确救援工作的管理体系、救援行动的指挥权限和各级救援组织的职责和任务等一系列的管理规定,保证救援工作的统一指挥。制定后的应急预案还应报上级部门批准后才能实施,确保预案有一定的权威性和法律保障。

2. 主要内容

(1)指导方针。这是企业对应急预案基本思想的阐述,应全面地阐述该应急预案的基本功能和执行过程,应简洁明了。

(2)目标。应急预案的主要目的包括使事故不扩大及尽可能地减少人员伤亡和财产损失以及对环境产生的不利影响两个部分,阐明应急预案的目的对于防止人们对其的错误理解具有必要性,有利于应急救援任务目标的达成。

(3)机构与职责。应急预案要有效实施,关键是执行预案的各级人员应赋予相关责任人员所应有的权利并规定对关键人员的资格要求,以保证应急预案的执行。

(4)事故分类及描述。应急预案中应简单地将其所适用的事故予以分类并对各事故予以适当的描述,以便于正确应用该计划。

(5)安全集合点。应制图标明公司安全集合点、人员疏散路线及避难方式等。

(6)联络、通信。应急措施的实施与通信联系的保持紧密相关。这包括对内和对外两部分的通信联系。

(7)安全保卫。在应急预案中,也应充分考虑安全保卫工作,这样既能减少不必要的损失,也能保持企业内部的稳定,避免失去对局面的控制。

(8)应急物资。

(9)培训与演练。在事故特别是可能危及生命安全的灾难性事件面前,人们应当做出怎样的反应,极大程度上取决于其在这方面所受到的教育与培训及其所具备的安全素质。因而在应急预案制订过程中,必须考虑怎样搞好相关的培训,保证应急预案的正确执行。应急演习是较为有效的培训形式之一。

(10)记录。及时地收集和记录事故中的数据与资料,对以后控制该类事故所造成的损失至关重要。

（二）应急预案的评审和备案

（1）公司应按规定组织专家对编制的应急预案进行评审，经评审或者论证后，由公司安全生产第一责任人签署公布。

（2）经评审后的应急预案应按规定抄送政府应急管理部门和有关主管部门备案。

（3）应急预案在修订后，应按照有关应急预案报备程序重新备案。

（三）应急预案修订

（1）应急预案应当至少每年评审一次，根据评审结果进行修订。应急预案应当至少每三年修订一次，预案修订情况应有记录并归档。

（2）有下列情形之一的，应急预案应当及时修订：公司体制、组织机构、生产经营发生重大变化的；生产经营单位生产工艺和技术发生变化的；周围环境发生变化，形成新的重大危险源的；应急组织指挥体系或者职责已经调整的；依据的法律、法规、规章和标准发生变化的；应急预案演练评估报告要求修订的；应急预案管理部门要求修订的。

四、应急资源管理和使用

（1）公司应根据安全生产状况和生产实际，配备必要的应急救援设备设施和应急救援物资。应急救援设备设施和应急救援物资的种类和数量由公司安全管理部与有关部门协商确定。

（2）生产保障部、安全管理部和使用部门应对管辖内的应急救援设备设施和应急救援物资进行定期检查、维护保养，并保存记录，确保应急救援设备设施和应急救援物资的完好、可靠。

（3）应急救援设备设施和应急救援物资由安全管理部和生产保障部统一调配使用。任何部门和个人不得随意使用应急救援设备设施和应急救援物资。若因生产急需使用应急救援设备设施或应急救援物资的，应经安全管理部批准，用后及时归还。

五、事故应急救援

（一）信息报告

（1）事故发生后，目击者应立即报告本部门安全员及部门领导，同时报告安全管理部，紧急情况下，有权越级报告。

（2）本部门安全员及部门领导或安全管理部在接到事故报告后，应立即向公司应急领导指挥中心汇报。

（3）公司应急领导中心在接到报告后，应迅速评估公司针对事故的应急救援能力，确定是否请求社会力量支援，并根据事故严重程度及时向上级公司和政府部门进行汇报。

（4）发生人身伤亡事故，必须在 1 小时内报告当地县级应急管理部门。

（二）先期处置

（1）事故发生后，现场人员与增援的应急人员在报告事故信息的同时，要根据职责和规定的权限及时、有效地进行先期处置,控制事态的蔓延。

(2)先期处置由发生事故部门的负责人(现场最高负责人)或安全员统一指挥,先期处置应在保证现场人员安全的情况下实施,情况紧急时指挥人员应及时组织人员撤离事故现场。先期首先进行人员救护和现场保护,条件许可时应组织抢救设备设施及物资。

(三)应急响应

(1)对于先期处置未能有效控制事态的事故,公司应急指挥中心应及时启动相关预案,指挥或指导有关部门开展应急救援工作。

(2)当事故现场有涉密资料时,应通知保密部参与此次救援任务。

(四)应急救援实施

(1)安全管理部负责现场的应急救援工作,并根据需要具体协调、调集相应的安全防护装备。

(2)现场应急救援人员应携带相应的专业防护装备,采取安全防护措施,严格执行应急救援人员进入和离开事故现场的相关规定。

(五)应急结束

(1)事故应急救援工作结束或相关危险因素消除后,公司应急指挥中心宣布恢复正常工作。

(2)安全管理部组织有关部门编写应急救援报告。

(六)应急演练

(1)安全管理部每年制定公司级的应急预案演练计划,至少组织一次综合应急预案演练或者专项应急预案演练,每半年至少组织一次现场处置方案演练,演练分为:

①综合演练:针对应急预案中多项或全部应急响应功能开展的演练活动。

②单项演练:针对应急预案中某项应急响应功能开展的演练活动。

③现场演练:选择(或模拟)生产经营活动中的设备、设施、装置或场所,设定事故情景,依据应急预案而模拟开展的演练活动。

④桌面演练:针对事故情景,利用图纸、沙盘、流程图、计算机、视频等辅助手段,依据应急预案而进行交互式讨论或模拟应急状态下应急行动的演练活动。

(2)各生产单位可针对本单位的生产情况,开展本单位的专项应急预案演练或处置方案演练。

(3)应急预案演练结束后,应急预案演练组织单位应当对应急预案演练效果进行评估,撰写应急预案演练评估报告,分析存在的问题,制定整改计划,明确整改目标,制定整改措施,落实整改资金,并应跟踪检查整改情况。

第二节　事故报告和调查处理

一、事故调查的目的

所谓事故调查就是事故发生后的认真检查、确定起因、明确责任,并采取措施避免和防止类似事故的发生而进行的调查。在安全管理工作中,对已发生的事故进行调查处理和撰写事故报告是极其重要的一环。根据事故的特性可知,事故是不可避免的,但我们可以通过事故预防等手段减少其发生的概率或控制其产生的后果。事故预防是一种管理职能,而事故预防工作在很大程度上取决于事故调查。因为通过事故调查获得的相应的事故信息对于认识危险、抑制事故起着至关重要的作用。因此,事故调查是确认事故经过、查找事故原因的过程,是安全管理工作的一项关键内容,是制定最佳的事故预防对策的前提。

二、事故分级

1. 分级依据

按照国家《生产安全事故报告和调查处理条例》,根据生产安全事故造成的人员伤亡情况或者直接经济损失,事故等级分为特别重大事故、重大事故、较大事故和一般事故。具体如下。

(1)特别重大事故,是指造成 30 人以上死亡,或者 100 人以上重伤(包括急性工业中毒,下同),或者 1 亿元以上直接经济损失的事故。

(2)重大事故,是指造成 10 人以上 30 人以下死亡,或者 50 人以上 100 人以下重伤,或者 5 000 万元以上 1 亿元以下直接经济损失的事故。

(3)较大事故,是指造成 3 人以上 10 人以下死亡,或者 10 人以上 50 人以下重伤,或者 1 000 万元以上 5 000 万元以下直接经济损失的事故。

(4)一般事故,是指造成 3 人以下死亡,或者 10 人以下重伤,或者 1 000 万元以下直接经济损失的事故。

2. 直接经济损失

直接经济损失依据国家《企业职工伤亡事故经济损失统计标准》(GB 6721—86)统计,主要包括:

(1)医疗费用、丧葬及抚恤费用、补助救济费用、歇工工资。

(2)处理事故的事务性费用、现场抢救费用、清理现场费用。

(3)事故罚款和赔偿。

(4)固定资产损失价值、流动资产损失价值。

三、事故报告

公司不论发生任何类型的人身伤害和火灾爆炸、重大设备事故、重大环境污染事件和重大财产损失,或者发生对公司生产经营工作造成严重负面影响、政治影响,或者造成较大公众舆情的事故事件后,不论事故事件调查归属部门,均应及时、如实地向公司有关职能部门和上级安全管理部报告,严禁迟报、漏报、谎报和瞒报。

（一）事故事件内部报告

受伤者（或目击者）→作业区（课、室、工程部）安全员或主管领导→部门、安全管理部门负责人（安全员）→部门安全生产第一、直接责任人→安全管理部领导（用微信或短信报告，将工伤人员所在单位及个人信息、事故发生时间及地点、简要经过、受伤情况写清楚）→公司领导（1 小时内报告）。报告后 3 小时内，各单位安全管理部门应书面填报事故快报表报送上级安全管理部门，具体如下。

（1）造成人员伤亡的，填报"员工伤亡事故快报表"。

（2）报送快报表的同时应填报"事故应急救援报告"。

（二）事故报告要求

1. 向政府部门报告

发生事故后，应严格按照《生产安全事故报告和调查处理条例》，事故现场有关人员应当立即向本单位负责人报告；单位负责人接到报告后，应当于 1 小时内向事故发生地县级以上人民政府应急管理部和相关部门报告。情况紧急时，事故现场有关人员可以直接向事故发生地县级以上人民政府应急管理部和相关部门报告。事故报告应当及时、准确、完整，任何单位和个人对事故不得迟报、漏报、谎报或者瞒报。

2. 事故报告内容

（1）事故发生的时间、地点以及事故现场情况。

（2）事故的简要经过。

（3）事故已经造成或者可能造成的伤亡人数和初步直接经济损失。

（4）已采取的措施。

（5）其他应当报告的情况。

3. 伤亡人数变化补报

事故报告后出现新情况的，必须及时补报。自事故发生之日起 30 日内，事故造成伤亡人数发生变化的，应及时补报。

四、事故调查

（一）总体要求

事故调查必须坚持科学严谨、依法依规、实事求是、注重实效的原则，及时准确地查清事故原因、查明事故性质、认定事故责任、总结事故教训、提出整改措施，各单位及个人必须配合事故调查。

（二）事故调查权限

（1）发生人员死亡，或造成重伤 2 人/次（含）以上的事故，或直接经济损失 100 万元（含）以上的事故由政府部门或上级公司组织事故调查。政府部门或上级公司成立事故调查组开展事故调查的，公司内部应成立协助事故调查工作小组和善后工作小组。

（2）发生重伤 1 人/次，或轻伤 2 人/次，或造成 50 万元以上直接经济损失的事故，由安全管理部组织事故调查。

（3）险肇事故、轻伤 1 人/次，或造成 50 万元以下直接经济损失的事故，由事故单位组织事故调查，并将事故调查结果报安全管理部。若事故性质恶劣或造成重大不良影响的事故，公司领导要求升级从严处理的，由安全管理部组织调查。

（三）事故调查组

1. 调查组成员组成

负责组织事故调查的单位应当按照精简、高效原则，在事故发生后 24 小时内成立，同时针对事故类别及具体情况抽调安全、技术等方面专业人员成立事故调查组，并指定调查组组长。调查组成员应与所调查的事故没有直接利害关系。

由安全管理部发文成立事故调查组的，一般由公司级领导任组长，相关部门派员参加。

由子公司或事故单位成立事故调查组的，一般由子公司或事故单位负责人担任组长，抽调相关部门人员参加。

2. 调查组职责

（1）查明事故发生的经过、原因、人员伤亡情况以及直接经济损失。

（2）认定事故性质，提出责任人处理建议。

（3）总结事故教训，提出防范和整改措施。

（4）提交事故调查报告。

（5）为政府事故调查提供支持。

（6）严守纪律，任何人不得擅自发布事故有关信息；涉及国家秘密的，必须严格遵守国家有关保密规定。

（四）事故调查要点

1. 取证工作

勘查人员到达现场后，首先要向事故当事人和目击者了解事故发生的情况和现场是否有变动。如有变动，应先弄清变动的原因和过程，必要时可根据当事人和证人提供的事故发生时的情景恢复现场原状以利实地勘查。在勘查前，应巡视现场周围情况对现场全貌有了概括的了解后，再确定现场勘查的范围和勘查的顺序。

（1）事故真实材料的搜集

①记录有关的材料和事实，包括发生事故的单位、地点、时间；受害者和肇事者的姓名、性别、年龄、文化程度、职业、技术等级、工龄、本工种工龄、技术状况、过去的事故记录等。还包括事故发生前设备、设施等的性能和质量状况；使用的材料，必要时进行物理性能和化学性能实验与分析；有关设计和工艺方面的技术文件、工作指令和规章制度方面的资料及执行情况；关于工作环境方面的状况，包括照明、湿度、温度、通风、声响、色彩度、道路、工作面状况及工作环境中的有毒有害物质取样分析记录；个人防护措施状况，包括防护用品的有效性、质量、使用范围；事故前受害者和肇事者的健康状况。

②证人材料的搜集。要尽快搜集证人材料。对证人的口述材料，应认真考证其真实程度。

③现场拍照。现场照相是收集物证的重要手段之一。通过拍照的手段提供现场的画面，包括部件、环境及能帮助发现事故原因的物证等，证实和记录人员伤害和财产破坏的情况。特别是对于那些肉眼看不到的物证，当进行现场调查时很难注意到的细节或证据，那

些容易随时间逝去的证据及现场工作中需移动位置的物证,现场拍照的手段更为重要。

④绘制事故图。现场绘图也是一种记录现场的重要手段。现场绘图、与现场笔录、现场照相均有各自的特点,相辅相成,不能互相取代。现场绘图是运用制图学的原理和方法,通过几何图形来表示现场活动的空间形态,是记录事故现场的重要形式,能比较精确地反映现场重要物品(如有关物证、痕迹、受害者等)的位置和比例关系。

(2)管理方面的调查

①企业及主管部门对"安全第一,预防为主,综合治理"的方针和安全生产法律的执行情况;

②企业安全管理机构的建立和安全管理人员配备情况;

③安全生产规章制度的制定和执行情况;

④作业规程及技术措施的编制、审批和实施情况;

⑤对员工的培训教育情况;

⑥安全技术措施经费的提取和使用情况;

⑦历年来的安全情况。

2. 事故原因分析

在整理和阅读调查材料的基础上,首先进行事故的伤害分析,然后分析和确定事故的直接原因和间接原因,最后进行事故的责任分析,确定事故的责任者。

事故伤害分析按受伤部位、受伤性质、起因物、致害物及伤害方式等方面进行。事故直接原因分析中要找出导致事故的人的不安全行为和物的不安全状态,间接原因分析要找出使人的不安全行为和物的不安全状态产生的原因,特别要找出管理方面的原因。

(1)物的不安全状态方面的直接原因

①防护、保险、信号等装置缺乏、有缺陷;

②设备、设施、工具附件有缺陷;

③个人防护用品、用具缺少或有缺陷;

④生产施工场地环境不良。

(2)人的不安全行为方面的直接原因

①操作错误、分散注意力、忽视安全、忽视警告;

②造成安全装置失效;

③使用不安全设备,或者以手代替工具操作;

④物体存放不当;

⑤冒险进入危险场所;

⑥攀、坐不安全位置,如平台护栏、汽车挡板、吊车吊钩等;

⑦在起吊物下作业、停留;

⑧机器运转时加油、修理、检查、调整、焊接、清扫等;

⑨在必须使用个人防护用品用具的作业或场合中,忽视其使用,或者不安全装束;

⑩对易燃易爆危险品处理错误。

(3)事故的间接原因

①技术上和设计上的缺陷;

②教育培训不够;

③身体的原因,包括身体的缺陷、身体过度疲劳、醉酒、药物作用等;

④精神的原因,包括怠慢、反抗、不满等不良态度,烦躁、紧张、恐怖、心不在焉等精神状态,褊狭、固执等性格缺陷等;

⑤管理上的缺陷:劳动组织不合理,企业主要领导人对安全生产责任心不强,作业标准不明确,缺乏检查保养制度,人事配备不完善,对现场工作缺乏检查或指导错误,没有健全的操作规程,没有或不认真实施事故防范措施等;

⑥学校教育的原因;

⑦社会历史的原因。

(五)事故调查结论

1. 事故调查报告完成时间要求

根据国家安全监管总局印发的《关于生产安全事故调查处理中有关问题的规定》,重大事故调查报告自事故发生之日起一般不得超过60日提交;较大事故、一般事故自事故发生之日起一般不得超过30日。特殊情况下,经负责事故调查的人民政府批准,可以延长提交事故调查报告的期限,但最长不得超过30日。

2. 事故调查报告应包括以下内容:

(1)事故单位概况。

(2)事故经过及事故救援情况。

(3)事故造成的人员伤亡和直接经济损失。

(4)事故发生的原因和事故性质。

(5)事故责任认定和责任人处理建议。

(6)事故防范和整改措施建议。

(7)事故调查报告应附相关证据材料。

3. 事故整改闭环

每一起生产安全事故必须按"四不放过"闭环管理,即"原因不查清不放过,整改措施不落实不放过,员工未受到教育不放过,责任人未处理不放过"。事故有关整改责任单位必须根据事故调查报告或通报中提出的防范措施要求,落实相应整改闭环工作。

由公司组织事故调查的,事故调查报告或通报中提出的防范措施要求,整改责任单位于15天内将闭环书面材料和"纠正和预防措施表"提交事故调查组验证。

由政府部门、上级公司组织事故调查的,必须按要求的时限内将事故整改闭环情况报告上报政府有关部门和上级公司。

五、事故处理

1. 政府或上级公司处理

政府部门或上级公司对事故调查并作出经济处罚和行政处分决定的,则按上级公司或政府部门的决定执行,公司内部不再对事故责任人另行处理。对于政府部门或上级公司提出处理意见建议滞后于公司内部处理的情况,若政府部门或上级公司提出的处理意见要求高于公司内部处理,则按照政府部门或上级公司提出的处理意见调整对有关责任人的处理,否则维持公司内部处理结论。

2. 内部处理

发生生产安全责任事故,对事故责任单位和有关责任人按照公司安全管理规定及安全生产责任制进行内部处理,主要有以下几方面。

(1)按照公司月度绩效考评办法,对事故责任单位进行考核。

(2)实行安全生产"一票否决",取消事故责任单位、责任人参评当年度综合类先进的资格。

(3)对事故单位第一责任人、业务分管领导按规定扣减绩效。

(4)对事故发生单位安全生产直接责任人、部门的负责人、项目负责人等对事故发生负有责任的人员按规定扣减绩效。

(5)约谈事故单位主要负责人。

3.迟报、漏报、谎报和瞒报事故事件

(1)按照公司月度绩效考评办法,对事故责任单位进行考核。

(2)发生迟报、漏报、谎报和瞒报的,对事故发生单位的负责人等扣减绩效。

4.劳务队及相关方

对事故发生负有责任的劳务队及相关方,按公司《环境和职业健康安全管理绩效考核办法》《工程承揽合同》及有关合同、协议有关条款处理,同时承担、赔偿事故造成公司的损失。

5.扣分、处分

对上述事故责任者,由人力资源部按公司员工管理规定进行扣分;事故调查中发现有失职、渎职、违纪行为的,提交公司决策层处理;涉嫌违法犯罪的,移交司法机关处理。

六、检查与考核

安全管理部对公司各单位进行监督检查与考核。

应急管理培训 PPT

应急管理

第五章 事故案例

第一节 事故案例分析的目的和意义

通过对事故案例的分析,查明事故发生的原因和真相,找出事故的主要责任者以及相关责任者,发现生产管理系统中存在的安全薄弱环节,制定预防事故的办法。通过严格执行落实"四不放过"原则和措施,让大家深刻认识到就是平时工作责任心不强、自我保护意识差、对安全不重视、工作程序不完善、没有认真执行各项规章制度、未能及时发现并排除安全隐患,从而造成事故的发生,造成无法挽回的损失。告诫员工要从事故中吸取教训,提高安全意识,对工作中麻痹思想、违章作业可能带来的严重后果要有更清醒、更深层次的认识和警醒,针对事故案例发生的原因查找自己工作的不足之处,加强安全培训,在工作中牢固树立"安全第一,预防为主、综合治理"的思想,通过平时的工作和学习不断提高自身的安全技能和综合素质,提高安全意识,增强安全责任心,时刻绷紧"安全"这根弦,克服侥幸心理,消除麻痹大意的松懈思想。将"责任重于泰山"的安全生产意识根植于我们的头脑,以严格的要求、严谨的态度、高度的责任感,投入到生产工作中去,避免发生事故,保障人民生命和财产安全。总之,事故案例分析的目的主要是教育广大群众,认真吸取事故血的教训,避免再次发生类似事故现象。

第二节 事故案例分析

一、案例一 高坠事故

(一)事故经过

2016 年 8 月 22 日下午 4:30 时左右,承揽某船厂在船坞建造阶段的 KB14192 船船体合拢口工程的某劳务队打磨班班长张某,在检查此船 623 分段和 223 分段合拢焊缝时,没有按规定行走梯子上下通道,贪图方便直接攀爬脚手架(脚手架分三层约 5.5 米高),在攀爬过程中不幸失足从约 5 米高处坠落到舱底,头部撞击到硬物致受重伤,送往医院抢救无效死亡。从事发现场情况来看,张某所佩戴的安全帽脱离人体且帽壳与帽芯脱离。

(二)事故原因

1. 直接原因

张某在某船厂 KB 14192 船检查 623 分段和 223 分段合拢焊缝时,由于个人安全意识淡薄,贪图方便违章攀爬脚手架,不幸失足从约 5 米高脚手架处坠落到舱底,头部撞击到硬物致受重伤,送往医院抢救无效死亡。

2.间接原因

从事发现场情况来看,张某所佩戴的安全帽脱离人体且帽壳与帽芯脱离,推断张某当时没有正确佩戴安全帽,在人体坠落过程中安全帽与人体分离,安全帽没起到保护头部的作用。另外,因安全帽帽壳与帽芯脱离,怀疑安全帽质量有问题。

(三)简述本案例的事故教训与改进措施

练习题:试简述本案例的事故教训与改进措施。

二、案例二 爆燃事故

(一)事故经过

2016年3月27日早上,承揽某公司KB 13188船管子安装工程的某劳务队班长唐某某,在当天早会安排班组员工龙某某、李某某两人到KB 13188船D腿桩靴位置进行冲桩管电焊作业。

8:30时左右,施工人员李某某在未得到许可的情况下,单独一人违章进入KB 13188船D腿桩靴狭小舱室进行电焊作业(按该公司规定,电焊动火作业必须办好动火证后并双人监护才允许进入狭小舱室);另一施工人员龙某某到工程主管、项目经理和当天值班安全员处办理动火作业审批单。当值班安全员接到龙某某动火作业申请单后,与其一同前往动火部位置(D腿桩靴位置)勘查现场时,发现桩腿出入口位置正在冒烟起火,安全员立即组织龙某某及周边人员进行灭火抢救,9:00左右,火势得到控制。安全员进入舱室查看起火原因,发现李某某坐在间隔舱底板上,立即通知相关人员一起将其救出舱室,立即拨打120请求救援,120救护车半小时后到达现场,李某某经抢救无效死亡。

(二)事故原因

1.直接原因

李某某在未办理动火申请批准和没有双人监护的情况下,独自一人进入KB13188船D腿桩靴狭小舱室进行电焊作业,由于电焊作业产生的高温点燃舱内可燃气体而燃烧,是本次事故的直接原因。

2.间接原因

李某某在KB13188船D腿桩靴狭小舱室进行电焊作业前,没有按"四不伤害"要求先检查作业环境、危险因素识别、排除安全隐患的前提下,违章电焊作业,自己伤害到自己,是本次事故的间接原因。

(三)简述本案例的事故教训与改进措施

练习题:试简述本案例的事故教训与改进措施。

三、案例三 触电事故

(一)事故经过

2015年6月15日下午15:15时左右,在试航码头H 3059船配电间发生一起触电事故,事故造成一名新航实习生吴某受伤,经送南沙中心医院抢救,于 6 月 15 日 19:12 时抢救无效死亡。发生事故的配电间如图 5-1 所示。

图 5-1

(二)事故原因

1. 直接原因

吴某违反操作规程、违章作业,在未切断电源、无双人监护的情况下将上半身伸入 400 V 配电柜内检查,是导致事故的直接原因。

2. 间接原因

(1)设备供应商安排实习生单独进行危险作业是导致事故的间接原因。

(2)主管、班长违反以老带新的规定,安排实习生进行配电值班,且未做好安全交底是导致事故的间接原因。

(三)简述本案例的事故教训与改进措施

练习题:试简述本案例的事故教训与改进措施。

安全培训 PPT

事故案例分析

参 考 文 献

［1］王勤章.船舶建造安全技术［M］.哈尔滨:哈尔滨工程大学出版社,2005.

［2］林菊生.船舶工业安全生产培训专用教材［M］.哈尔滨:哈尔滨工程大学出版社,2007.

［3］李炳荣.船舶工业外来生产单位员工安全生产知识读本［M］.哈尔滨:哈尔滨工程大学出版社,2010.

［4］谢荣.船舶修造资源管理［M］.北京:人民交通出版社,2010.

［5］周明顺.船舶修造安全概论［M］.北京:人民交通出版社,2011.

［6］蒋德志.船舶修造职业危害与防护［M］.北京:人民交通出版社,2011.

［7］郑时勇.企业安全管理与应急全案［M］.北京:化学工业出版社,2020.